SNS 보다 쉬운 시쓰기 **시;톡**

SNS 보다 쉬운 시쓰기 시;톡

❷ 시 쓰기를 망치는 열 가지 비법

초판 1쇄 인쇄 2020년 11월 25일
초판 1쇄 발행 2020년 11월 30일

지 은 이 이대흠
펴 낸 이 박진성
펴 낸 곳 북에디션
관 리 안진희

출판등록 2012년 3월 22일 제2016-000195호
주 소 서울시 구로구 개봉1동 고척로 82 202동 403호
대표전화 02) 2616-2683
팩 스 02) 2613-2685
전자우편 seosubi@hanmail.net

ISBN 979-11-85025-51-3   04800
      979-11-85025-49-0   04800(세트)

SNS 보다 쉬운 시쓰기

시,
톡

P O E M : T A L K

이대흠 지음

❷ 시 쓰기를 망치는 열 가지 비법

북에디션
BOOK
EDITION

지뢰밭을 건너기

　습작생들이 시 쓰기를 하면서 자주 범하는 오류 몇 가지가 있다. 그런데 한 번 범한 실수를 한 번에 그치는 것이 아니라, 그러한 실수가 반복된다는 게 문제이다. 합평을 하면서 설명을 해 줄 때는 알아먹었다고 고개를 끄덕이면서도 다시 새로운 작품을 써올 때면 어김없이 유사한 실수를 되풀이한다. 한 번 잘못한 것은 실수이지만, 그것이 고쳐지지 않으면 습관이다.

　그런데 그들이 범한 오류라는 것은 시의 기본과 관련된 것이라 고치지 않으면 안 된다. 또한 아무리 편을 들어 해석을 하더라도 그런 오류가 있는 작품은 해석자에 따라 평가가 달라질 수 있는 사안이 아니다. 그렇게 자주 범하는 실수의 유형은 10가지인데, 이런 실수는 사소한 것이 아니다. 이 열 가지 시를 망치는 비법은 습작생이든 기성 시인이든 잘못 디디면 시의 발목이 날아가 버릴 지뢰와 같다. 제법 시를 잘 쓰는 사람이라도 지뢰를 밟으면, 시의 발목이 날아가서 시 전체가 흔들리고, 문학적 완성도를 기대할 수 없다.

그래서 습작생들이 공통적으로 자주 범하는 오류 몇 가지를 정리해 보았다. 제목을「시 쓰기를 망치는 열 가지 비법」이라고 하였지만, 시 쓰기를 망치길 바라면서 이런 비법을 알려 주겠는가. 시를 해치는 요소를 분명히 안다면 그것을 제거할 수 있으리라 본다.

따라서 '시 쓰기를 망치는 열 가지 비법이 이것입니다'라고 표지판을 붙이는 것이니, 시의 나라로 가려는 분들이 국경에 산재되어 있는 이 지뢰를 피해 무사히 시의 나라에 입국하길 바란다.

차례

1강

화자를 잃고 나는 쓰네

1) 산꼭대기는 흰 절벽

해가 진 산등성이는 마른 지렁이 같다

개미 떼처럼 달라붙은 나무들

모래알 같은 바위들

보도블럭 틈에 민들레가 돋아났다

경적을 울리며 차들이 씽씽 달리고

마른 지렁이를 개미들이 끌고 간다

개미 떼가 가는 길에

아이스크림 껍데기가 놓여있다

절벽이다

지렁이 같은 산길을 따라

가다보면

문득 만나는 나리꽃

숨어 있던 그리움이

우표도 없이 도착한다

—「그리움은 우표두 없이 배달된다」

2)낡은 배가 삐걱거린다

파도는 그리움을 몰고 오고

먼 데서 온 파도는 지쳐서 쓰러진다

소라게가 훔친 집을 서둘러 짊어지는데

나는 몸 감출 넝마도 없다

녹슨 못은 침묵을 물고

붉은 바다는 수박 속 같다

방파제는 포크처럼

바다에 꽂혔다

방파제 끝에서 흐느낌 소리

깍지 낀 너의 손가락에

노을이 걸려 있었다

—「손가락에 낀 노을」

위의 두 작품을 읽어보면, 무언가 선명한 이미지가 떠오르지 않는다. 부분적으로는 그럴 듯한데, 무슨 말을 하려는지, 짐작하기 어렵고, 엉킨 실타래처럼 생각들이 어지럽게 뭉쳐 있음을 어렵지 않게 파악할 수 있다. 그런데 구체적으로 무엇이 문제인지 분석을 해보라고 하면, 시 읽기에 훈련이 된 사람은 몇 가지 문제점을 지적할 수 있을 것이다. 그러나 시에 익숙하지 않는 독자는 내용 조차 파악하지 못한다. 사실 이러한 작품은 누구도 읽어낼 수 없다. 잘못 써진 글이기 때문이다. 먼저 화자의 위치 선정이 잘못되었다. 「그리움은 우표도 없이 배달된다」의 경우에는 화자가 어떤 자리에서 먼 데 산을 바라보다가(1~4행), 자신이 서 있는 주변을 살핀다.(5~10행) 즉 먼 데를 보다가 가까운 쪽으로 시선을 옮겼다. 여기까지는 큰 문제가 없다. 그런데 11행부터는 갑자기 화자가 산길을 오르고 있다. 이럴 때 독자는 화자를 따라가지 못한다. 화자가 한 위치에 서서 시선을 옮기고 있었는데, 갑자기 공중부양을 하여 산속으로 들어가 버리니, 독자는 화자의 공간이동에 놀라 눈만 껌벅일 것이다. 따라서 「그리움은 우표도 없이 배달된다」의 경우에는 1~10행까지를 한 편으로 쓰고, 11행부터는 다른 작품으로 써야 한다. 그렇지 않다면, 화자를 한 장소에 고정시킨 채 시선만 이동하는 방법으로 통일시켜야 한다.

「손가락에 낀 노을」의 경우에는 어떠한가? 각각의 문장은 흠결이 없다. 다만 5행의 '나는 몸 감출 넝마도 없다'라는 문장은 너무 엄살을 떨었다. 화자가 최소한의 옷을 입고 있을 것인데, 벌거숭이 임금님이 아닌 경우에는 이런 표현은 과장이 심하다. 그런데 더 문제가 되는 것은 역시 화자의 위치이다. 이 작품을 철저히 분석하기 위해서는 각 행별로 화자의 위치와 화자의 시선이 어디를 향해 있는지 살펴보아야 한다.

① 낡은 배가 삐걱거린다
② 파도는 그리움을 몰고 오고
③ 먼 데서 온 파도는 지쳐서 쓰러진다
④ 소라게가 훔친 집을 서둘러 짊어지는데
⑤ 나는 몸 감출 넝마도 없다
⑥ 갑판의 녹슨 못은 침묵을 물고
⑦ 붉은 바다는 수박 속 같다
⑧ 방파제는 포크처럼
⑨ 바다에 꽂혔다
⑩ 방파제 끝에서 흐느낌 소리

⑪ 깍지 낀 너의 손가락에
⑫ 노을이 걸려 있었다

①행에서 화자는 바닷가에 있다. 시선은 배를 보고 있다.
②행에서 화자는 바닷가에 있다. 시선은 파도치는 바다를
보고 있다.
③행에서 화자의 위치 및 시선의 방향은 ②행과 동일하다.
④행에서 화자는 바닷가에 있다. 그러나 시선을 먼 바다에
두고 있는 것이 아니라, 발밑을 보고 있다.
⑤행에서 화자는 바닷가에 있다. 스스로의 몸을 살피고 있
거나 특정한 곳을 보고 있지 않다.
⑥행에서 화자는 배 위로 올랐거나 배와 아주 가까운 곳에
있다.
⑦행에서 화자는 바닷가에 있다. 먼 바다를 보고 있다.
⑧행에서 화자는 바다에서 멀리 떨어진 높은 곳에 있다.
산 위나 하늘 높은 곳에서 바다를 보고 있다. 즉 바다에서 멀
리 떨어진 곳에서 바다를 보고 있다.
⑨행에서 화자의 위치 및 시선의 방향은 ⑧행과 동일하다.
⑩행에서 화자는 바닷가에 있다. 아주 먼 곳이 아닌 방파
제를 보고 있다.

⑪행에서 화자는 바닷가에 있다. 그리고 아주 가까운 곳, 즉 깍지 낀 너의 손가락을 보고 있다.

⑫행에서 화자는 바닷가에 있는 것처럼 보인다. 그러나 시제(시제가 현재형이 아니라, '있었다'라는 과거형이다.)에 근거해 보았을 때, 화자는 바닷가에 있는 것이 아니라, 바닷가에 있었던 과거를 회상하고 있다. 즉 깍지 낀 너의 손가락 사이로 노을을 본 것은 바닷가였으나, 그것은 과거의 일이고, 지금은 바닷가에 있지 않다.

이렇게 분석해 보았을 때, 습작시2)는 화자의 위치가 이곳저곳으로 이동이 잦다. 이런 시는 독자를 혼란에 빠뜨린다. 만약 이러한 작품을 읽고 감동하는 독자가 있다면, 그 독자는 시적 화자에게 필요 이상으로 가까이 가 있는 독자이거나 어떤 한 문장에 과도하게 집착을 하고 있는 경우이다. 이 작품은 좋은 시가 아닐 뿐만 아니라, 잘못 쓴 시이다.

2강

한눈팔기와 거리조절 실패

1)강물에 그리움이 빠졌다
그리움은 시퍼렇게 시퍼렇게
물무늬를 남겼다

숨 쉬지 말라
강이 말했다

바닥에는 자갈이 많았다
내 그리움의 바닥도 거칠 것이다

발바닥에 닿은 그리움을 만져보았다

돌멩이처럼 숨 쉬지 않으며
나는 입을 다물었다

천년 동안 돌멩이가 되자
단단해지자

그리움의 바닥에서 나는
일어설 것이다

눈을 뜨면 당신이 올 것이다

— 「강은 그리움을 먹고 산다」

2) 그는 표정 속에 너무 많은 생각을 구겨 넣었다

검은 비닐봉지 같은 생각들을 손아귀로 움켜쥐고
그는 표정을 얼어붙게 할 생각을 한다

그녀는 길 가의 가로등처럼 서 있었다
초라한 그의 발이 헛딛지 않게
마음을 졸였다

나는 사랑에서 해고되었다

걸음을 걸을 때마다

구겨진 비닐끼리 부딪히는 소리가 난다

그녀는 비닐 같은 가슴을 가졌다

그의 슬픔이 금방 건너온다

슬픔은 다 녹은 아이스크림이 들어있는

물컹한 봉지 같다고 그녀는 생각한다

피부에 닿은 슬픔이 느끼하다

—「슬픔은 물컹하다」

3)보림사에는 비자나무가 많았다

너는 비자나무 열매를 주워

새라고 주었다

비자나무에는 눈이 검은 새

울음을 울 줄 모르는 벙어리 새

새들은 비자나무에 가득했으나
울지 않았다

검은 뿌리를 만지니
시커멓게 소리가 묻어 나온다
검은 그리움이 묻어나온다

네가 없는 곳에서
나는 시커멓게 운다

비자
비자
비우자

우는 새를 가슴에 품었다
— 「새의 눈동자에는 검은 그리움이 고인다」

위와 비슷한 작품들은 시창작 교실에서 흔히 볼 수 있다.
먼저 이 작품들을 스스로 분석하여 문제점을 적어 보라.

구분	1) 강은 그리움을 먹고 산다	2) 슬픔은 물컹하다	3) 새의 눈동자에는 검은 그리움이 고인다
문제점			

 이제 본인이 메모한 내용과 다음 내용을 비교해 보라.

 위의 작품들은 시 쓰기를 제법 한 습작생의 글이라는 것을 짐작할 수 있다. 1)번 작품의 경우, 그리움을 사물화 하는 데는 성공 하였다. 이러한 표현에는 '그리움은 돌멩이 같다'라는 인식이 선행되어 있다. 강물에 그리움이 물에 빠졌고, 빠진 그리움이 물무늬를 남겼다. 시적 훈련이 되어있는 사람이라면 어렵지 않게 할 수 있는 발상이다. 그러나 아무런 장치도 없이 불쑥 강물에 그리움이 빠졌다고 했다. 작위적이다. 그리움을 사물화 하는 것은 좋으나 독자의 납득을 얻을 수 있어야 한다. 최소한 '내가 가진 그리움은 돌멩이 같은 것이었다'와 같은 조건이 먼저 나와야 한다. 그렇게 해야 '강물에 그리움이 빠졌다'고 해도 독자가 믿을 수 있다.

또 하나의 문제는 화자와 대상 간의 거리의 문제이다. 이 작품에서 화자는 어디에 있는가. 물에 빠진 그리움을 보고 있으니, 강둑에나 있다고 보아야 한다. 강둑에 서서 강물에 돌멩이처럼 빠진 그리움을 보고 있다. 그런데 갑자기 '발바닥에 닿은 그리움을 만져보았다'라는 구절이 나온다. 화자가 순간이동을 했다. '짜잔' 소리도 없이 물 밖에 있던 화자가 물속으로 들어가 버렸다. 즉 대상이었던 강과 화자가 하나가 되어버렸다. 강둑에 있던 화자가 그리움을 따라 강물 속으로 뛰어들었다. 따라서 이 작품은 화자와 대상 간의 거리조절에 실패했다.

그리고 4행의 '강이 말했다' 구절도 어색한 의인법이다. 사물이 된 그리움이 빠진 게 강인데, 그 강을 의인화 시켰다. 이렇게 되면 '내 그리움이 강이라는 사람에게 빠졌다'로 읽힌다. 잘못된 설정이다. 이 작품은 최소한 강을 강으로 그대로 두어야 한다. 그런데 강을 사람으로 만들어서 화자와 대상 간의 거리두기가 되지 않았다. 이처럼 시적 화자와 대상 간의 거리두기에 실패하면 엉뚱하게 해석되거나, 해석이 불가능하다.

2)번 작품의 경우에는 '검은 비닐봉지 같은 생각들을 손아귀로 움켜쥐고'라는 구절이 상당히 시적으로 보인다. 그러나 생각을 움켜쥘 수는 있으나, 손에 움켜쥘 수 있는 비닐봉지는 대부분 하나일 것으로 생각하기 때문에, '생각들'을 움켜쥐었다는 건 어색하다. 또한 '비닐봉지 같은 생각'이 형상화가 덜 되어 있다. 왜 생각이 비닐봉지 같은지, 이해할 수 없다. 생각이 비닐봉지 같다고 독자가 충분히 공감할 수 있어야, 나머지 구절도 분석할 수 있다.

천천히 살펴보자.

2)번 작품의 화자는 어디에 있는가. 이 작품도 화자의 위치에 문제가 있으며, 화자와 대상간의 거리 조절이 안 되어 있다. 화자는 그와 그녀를 바라보는 위치에 있다. 그런데 관찰자로만 머무는 게 아니다. 그와 그녀의 내면까지 들여다보고 있다. 이 시에서 화자는 모든 것을 알고 있는 자이다. 그런데 이렇게 전지자인 화자가 그와 그녀의 내면을 너무 많이 왔다 갔다해서 혼란스럽다. 특히 '나는 사랑에서 해고되었다'라는 말은 누구의 말인가? 화자의 말인가? 아니면 시 속의 어떤 대상의 말인가? 화자와 대상 간의 관계가 모호하다. 1)번 작

품과 마찬가지로 거리조절에 실패했다.

또 1행에서는 '그는 표정 속에 너무 많은 생각을 구겨 넣었'
는데, 2행에서는 그 생각이 어느새 손에 움켜쥔 비닐봉지가
되었다. 그리고 그의 생각인 비닐봉지가 어느새 그녀의 가슴
에 붙이 있고, 물컹한 슬픔이 든 봉지로 바뀌었다. 아무리 관념
을 사물화 하였다고 해도 이처럼 하나의 사물에 여러 가지 관
념이 섞이고, 그 사물화한 관념이 아무데나 달라붙는다면, 관
념이 사물로 몸을 바꾸지 못하고, 그 사물은 어떤 하나로 특정
되지 않는다. 따라서 이 작품은 관념의 사물화에도 실패했다.

3)번 작품에서도 화자의 위치와 대상간의 거리조절이 문제
이다. '너는 비자나무 열매를 주워 새라고 주었'는데, 그렇게
했던 너는 어디에 갔는가. 시의 후미에서는 '네가 없는 곳에
서' 나 혼자 남아 울고 있다.

어색한 부분도 몇 군데 있다. 네가 비자나무 열매를 주워
주면서 '새'라고 하면, 비자나무 열매가 '새'로 변하는가? 그
렇지 않다. 독자에게는 여전히 새는 새이고, 열매는 열매로
남아있다. 또 비자나무 열매를 새라고 설정한 것이 성공했다

고 하여도 문제는 있다. '검은 뿌리를 만지니/시커멓게 소리가 묻어나온다'고 하였는데, 이것은 무슨 소리인가? 벙어리 새의 울음이 비자나무 뿌리에서 묻어나왔다는 것인가? 그렇게 이해해야 한다면 너무 작위적이어서 억지스럽다. 만약 그렇지 않다면, 뿌리에서 묻어나오는 소리가 무엇인지 짐작할 수가 없다.

그리고 시의 마지막에 '우는 새를 가슴에 품었다'라고 하였는데, 시의 첫머리에서 비자나무 열매를 새로 설정하였으니, 시의 마지막에 나오는 이 구절은 비자나무 열매를 품었다는 의미가 된다. 따라서 텍스트만 해석하였을 때, 화자는 겨우 비자나무 작은 씨앗 하나를 품고서, '우는 새를 가슴에 품었다'며 소리치고 있다.

독자는 시 외에는 아무 정보도 없이 시를 읽는다. 독자가 시를 읽을 때는 어떤 기대를 할까. 독자는 소중한 시간을 내어 시를 읽으면서 감동을 받고 싶어 한다. 그런 독자가 이렇게 거리조절에 실패한 작품을 읽으면서 억지로 해석할 수는 없지 않은가. 그만큼 시적 화자의 위치는 중요하고, 화자와 대상간의 거리조절이 작품의 완성도에 미치는 영향은 크다.

화자 찾기 처방전

화자는 연극배우와 같다. 시인은 화자를 내세워 말을 한다. 시인이 보았던 것, 느꼈던 것을 화자의 말이나 행동을 통해 드러나게 한다. 또한 시인이 얻은 어떤 깨달음 같은 것도 화자의 입을 통해 나온다. 상당히 많은 서정시가 독백의 형태를 띄기 때문에 보통 사람들은 시인과 화자를 동일인으로 여기는 경우가 있으나, 그것은 착각이다. 우리가 읽는 어떤 시 작품에도 시인이 직접 드러나는 경우는 없다. 시인은 철저히 화자라는 배우 뒤에 숨어 있다. 시라는 텍스트를 하나의 연극무대에 오른 연극으로 보았을 때, 시인은 무대 밑에 숨어있다.

물론 어떤 작품에서는 '나'라는 화자가 직접 등장한다. 또한 시인이 자신이 겪은 일상을 일기처럼 쓸 수도 있다. 이럴 경우에도 시인과 화자를 엄격히 구분하는 게 시를 이해하는

데 도움이 된다. 실제 우리는 시를 말하는 시인을 직면한 채 시를 접하지는 않는다. 시인은 시 속에 화자를 시켜 자신이 할 말을 대신하게 하기도 하고, 전혀 다른 사람의 말을 그 화자를 통해 드러나게 하기도 한다. 따라서 화자는 시인의 말을 대변할 수도 있지만, 정반대의 말을 할 수도 있다. 화자는 '나'라는 인칭대명사로 드러나기도 하지만, '바위, 춘향이, 이순신 장군, 옹기장이, 엿장수 등'으로 얼굴을 바꾸어서 나타나기도 한다.

화자는 시인이 아니다. 화자는 시 속에서 말하는 어떤 사람이다. 그러므로 시를 쓰는 나와 시 속의 화자를 분명하게 구분하라. 글을 쓰고 있는 자기 자신과 화자를 구분하기 어렵다면, 어떤 경우에도,

모든 시에서는 말하는 '나'는 시인 자신이 아니라고 여기면 된다.

이 말만 기억하자 시 속에는 시인이 없다. 시인의 대리인이 되어 말하는 경우가 있더라도, 그 대리인은 시인이 아니다. 설령 자기가 쓴 시에서 '나'라는 화자가 나오더라도, 그

사람을 시를 쓴 자신과 동일한 인물로 여기지 말자. 시인은 화자를 조종할 수는 있지만, 화자의 자리에 설 수는 없다.

시를 쓰는 자신과 화자를 명확히 구별할 수 있다면, 이제 작품 속의 화자를 살펴보자.

시에서 화자는 한 자리에 있거나 움직이거나 다른 대상 속에 들어가 있거나 시 밖에서 시 전체를 바라보고 있다. 이를 바탕으로 화자의 위치와 화자의 시선을 점검하면 다음과 같이 분류할 수 있다.
  1)화자가 한 자리에 있으면서 화자의 시선이 한 곳을 바라볼 때
  2)화자가 한 자리에 있으면서 화자의 시선이 이동할 때
  3)화자가 한 자리에 있으면서 과거를 회상할 때
  4)화자의 이동을 할 때
  5)화자가 다른 사람 속에 들어가 있거나 사람이 아닐 때
  6)화자가 시 밖에 있는 전지자일 때(모자이크 조립 시점)

그러나 초보자들이 대부분 실수하는 것은 시적 상황을 본 시공간과 시를 쓰는 시공간을 착각하는 데서 비롯된다. 시인

이 시를 쓸 때는 시상이 떠오른 현장에서 시를 쓰는 경우도 있지만, 대개는 어떤 착상을 한 후 집에 와서 시를 쓰게 된다. 여기에서 오류가 발생한다.

만약 어떤 절에 가서 새로운 풍경을 보았고, 새로운 생각을 하게 되었다고 가정해 보자. 그렇게 얻은 착상을 시로 쓸 때 문제가 발생한다. 어떤 것을 보고 생각한 것은 과거의 절이고, 시를 쓰는 건 현재의 집이다. 이때 현재 글을 쓰고 있는 '나'와 과거의 절에서 무언가를 생각했던 '나'를 같은 사람으로 혼동하는 경우가 있다. 주의해야 할 것은 똑같은 '나'로 보여도, 절에서 본 풍경이나 거기에서의 생각은 '과거의 내'가 '보, 았, 고, 생, 각, 했, 던' 것이라는 점이다. 정리하면 '과거의 나'와 '현재의 나'를 명확히 구분해야 한다.

이렇게 '과거의 나'와 '현재의 나'를 구분할 수 있다면, 이제 화자의 위치만 잘 살피면 된다. 화자의 위치와 화자의 시선에 따라 한 편의 시에 들어갈 수 있는 내용은 다음과 같이 한정된다.

1)의 경우처럼 '화자가 한 자리에서 한 곳만을 바라볼 때'는 고정된 화자의 고정된 시선에 포착된 대상만 그리면 된다.

그러나 2)의 경우처럼 화자의 시선이 이동을 할 때와 3)의 경우처럼 한 편의 시에서 현재의 화자가 과거를 회상할 때는 그 둘을 엄격히 구분해야 한다. 특히 시제의 문제에 유의한다.

2)처럼 한 자리에 있는 화자가 시선을 이동할 때는 화자의 몸은 그 자리에 고정되어 있어야 한다. 즉 움직이는 것은 몸이 아니라, 시선에 제한된다. 따라서 시선의 이동에 따라 시상을 전개할 때는 일정한 거리에서 포착할 수 있는 장면만 나와야 한다. 특히 먼 거리에서 포착할 수 있는 이미지와 가까운 거리에서 포착할 수 있는 이미지가 섞여서는 안 된다. 근거리에서 본 것은 세밀한 묘사가 가능하지만, 원거리에 있는 대상의 미세한 부분은 볼 수가 없다. 예를 들어 설명하면, 마을에 있는 화자가 산꼭대기에 있는 토끼의 눈동자를 볼 수는 없다. 이때는 고정된 자리에서 볼 수 있는 대상의 상태만 써야 한다.

유의할 점은 시선의 이동이 단조로워야 한다. 화자의 시선은 '한 점에서 다른 한 점까지' 한 번만 움직여야 한다. 그만큼 화자의 시선은 단조로워야 하고, 시인은 자신이 쓴 작품이 그만큼 단조롭게 시선을 움직였는지, 면밀히 검토해야 한다. 만약 화자의 시선이 왔다갔다하는 방식으로 시상을 전개하면, 독자에게 혼란을 준다. 다시 말해서 화자의 시선은 왕

복이 없는 일직선 하나로 종결되어야 한다. 이를 세부적으로 말한다면, 한 편의 시에서 화자의 시선은 다음 중 하나를 선택하는 방식이어야 한다.

  왼쪽에서 오른쪽으로,
  오른쪽에서 왼쪽으로,
  가까운 곳에서 먼 곳으로,
  먼 곳에서 가까운 곳으로,

  2)의 방법으로 시를 쓸 때는 딱 한 번 시선 이동을 하여 포착된 세계만 그린다.

  3)에서처럼 현재의 화자가 과거를 회상할 때도 지켜야할 원칙이 있다. 현재의 화자가 과거를 회상하여 시를 쓸 경우, 과거만을 쓰는 경우가 있고, 현재의 화자가 과거를 회상하면서 과거와 현재의 화자가 번갈아 등장하는 경우가 있다. 이때 시제(과거, 현재, 미래)를 정확하게 해야 한다. 즉 과거의 화자는 언제나 과거 속에 있어야 하고, 현재의 화자는 항상 현재에 있어야 한다. 이때 현재의 화자와 과거의 화자를 혼동해서는 안 된다. 특히 오래된 과거가 아니라, 몇 시간 전이

나 하루 전의 일을 회상할 때 오류를 범하기 쉽다. 만약 낮에 어떤 포구를 다녀와서 그 포구에 대한 시를 쓴다고 할 때,

포구에 있었던 화자(과거의 나)와
지금 집에 와서 시를 쓰고 있는 나(현재의 나)를 엄격히 구분해야 한다.
몇 시간 전이었더라도 과거는 과거이다.

과거의 본 것과 지금 본 것을 혼용해서는 안 되고, '과거의 내(과거의 화자)'가 생각한 것을 '지금의 내(현재의 화자)'가 생각한 것과 섞어서도 안 된다. 그것을 명확히 분리할 수 있어야 시상 전개가 자연스럽고, 쓸데없는 혼란을 주지 않는다.
이러한 구분이 어려울 때는 과거의 화자를 '그'로 바꾸어 시상을 바로잡을 필요가 있다. 다시 말해서 '과거의 나'를 아예 '그'로 바꾸어 표기한 후, 내가 본 것과 그가 본 것을 구분하고, 내가 생각한 것과 그가 생각한 것을 철저히 나누어야 한다. 그렇게 현재와 과거를 철저히 분리한 후 그가 본 것과 생각한 것은 과거시제를 써서 문장을 만들고, 내가 보거나 생각한 것은 현재시제를 써서 문장을 짓는다. 그런 후에 '그'로 표기한 '과거의 나'를 다시 '나'로 바꾸어 적으면, 과거의

나와 현재의 내가 섞일 염려가 없다.

 이때 과거의 화자는 이동을 하고, 현재의 화자는 고정되어 있다면, 거기에 맞게 시상을 전개해야 한다. 이는 액자소설의 구조와 같다. 즉 과거의 화자가 이동하는 화자였다면, 그 것대로 이동하는 화자를 중심으로 과거의 이야기를 매듭지어야 한다. 다시 말해서 과거의 내가 본 것이나 움직인 것이나 생각한 것은 모두 액자 속에 들어가 있으면 된다.

 다음을 보자.

 ①구강포는 오래 쓴 걸레 같다
 ②그 곳에 가서야 더께 낀 그리움을 닦아낼 수 있었다
 ③칠게 떼가 조각 난 기억처럼 흩어졌다
 ④낡은 배는 제 그림자로 자기를 덮지 못했다
 ⑤속울음이 터진 듯 삐걱대는 소리가 삐져나왔다
 ⑥마음을 주머니 속 손수건처럼 꺼내어 볼 수 있다면
 ⑦칼칼한 가을 하늘이 인쇄되어 있을 것이다

 위의 습작시에서 ①행과 ⑦행은 ②행~⑥행과 시제가 다르다. ①행과 ⑦행은 시를 쓰고 있는 현재의 생각을 쓴 것이고, ②행~⑥행은 과거에 가 보았던 구강포를 그렸다. 즉 ①행과 ⑦행은 현재시제이고, ②행~⑥행 액자 속 과거이다. 이처럼 글을 쓰고 있는 지금과 과거에 경험했던 세계는 분명히 구분해야 한다. 따라서 위 시의 시제를 도식화하면 아래와 같다.

현재의 나(시를 쓰는 나) – 과거의 나(액자 속의 나) – 현재의 나(시를 쓰는 나)

이렇게 명확히 과거를 액자 속에 넣어버리면, 보다 구조가 명확해진다. 시를 쓸 때 독자에게 혼란을 줄 어떤 어려운 장치도 있어서는 안 된다.

시는 독자에게 가장 친절하고, 명확하고, 분명하고, 단순하게 화자의 생각을 말하거나 이미지를 보여준다.

그래서 화자의 위치나 화자의 시선이 불명확한 건 문제가 있다. 내가 저기에 있었으면, 저기에 있었다고 말해야 하고, 내가 여기에서 이것을 보았으면, 여기에서 이것을 보았다고 해야 한다. 자신이 어디에 있었는지도 모르는 자나 자신이 어디에서 무엇을 보았는지도 모르는 자의 이야기는 횡설수설이다. 그런 뒤죽박죽 문장과 함축적 다의적인 특성이 있는 시적 문장은 구별해야 한다.

4)의 경우에는 화자의 몸이 움직인 것이므로, 화자의 눈이나 귀로 포착된 대상의 상태에 따라 화자의 위치가 드러난다. 흔히 길을 걸을 때나, 자동차로 이동할 때 쓰는 방법으로 먼 거리에 있던 대상도 화자의 위치 이동에 따라 가까운 곳으로 바뀌면 세밀한 부분까지 드러난다.

5)의 경우에는 화자가 사람이 아닌 동물이나 식물인 경우, 혹은 역사 속의 인물인 경우, 또는 죽은 사람이나 신체의 일부인 경우 등으로 구분하여 볼 수 있다. 이때 주의해야 할 점은, 화자와 시인을 분명하게 구분하여, 시인이 포착한 세계를 화자가 포착한 것처럼 해서는 안 된다는 점이다. 만약 화자를 벽 속의 못으로 설정하였다면, 그 한계를 넘어서지 말아야 한다. 벽 속의 못은 바깥 풍경을 볼 수 없고, 어떤 소리나 겨우 들을 수 있을 것이다.

6)의 경우에 주의할 것은 화자가 모든 것을 알고 있지만, 시 속의 상황에 개입할 수 없다는 점이다. 이는 소설에서의 전지적 작가 시점과 유사하다. 화자는 이미 본 적이 있는 한

편의 영화, 혹은 여러 편의 영화를 동시에 보고 있다. 영화 속의 그들이 무엇을 하고, 어떤 생각을 하고 있는지도 알지만, 화자가 영화 속으로 들어갈 수는 없다. 이 중 모자이크 시점의 경우 다양한 장면들을 모아 한 장의 그림으로 조립하는 경우라고 보면 된다. 화자는 각각의 영화 속 장면을 선택해서 볼 수는 있다. 이때도 주의할 것은 만약 그 영화 속에 화자 자신이 나오더라도 시를 쓰고 있는 자신과 혼동하지 말아야 한다는 점이다.

이제 그림을 통해 대다수의 서정시에 나타난 화자의 위치와 화자의 시선 등을 알아보자.

그림1 고정된 화자가 한 곳을 바라본다.

그림2 고정된 화자가 먼 곳에서 가까운 곳으로, 혹은 가까운 곳에서 먼 곳으로 시선을 이동한다.(혹은 고정된 화자의 시선이 좌에서 우로, 우에서 좌로 이동한다.)

그림3 화자가 이동한다.(화자가 이동할 때는 대개 보이는 것과 생각한 것이 순차적으로 나열되어야 한다.)

그림4 화자가 다른 대상에 들어가 있다.

그림5 시를 쓰는 화자가 과거를 회상한다.

그림6 어떤 주제를 중심으로 본 것과 생각한 것을 모자이크 식으로 조립하거나, 시에 나오는 모든 대상의 내면까지 알고 있다.

　따라서 시 쓰기를 시작하는 사람의 경우에는 위에서 예를 든 대로 일정한 화자를 설정하여 시를 쓰는 게 용이하다. 이 중 그림6)의 경우처럼 화자가 숨어 있을 때에는 소설의 시점과 마찬가지로 화자가 모든 것을 알고 있거나 내면을 알지 못한다. 이것을 분명히 구별해야 한다. 화자를 관찰자로 설정하였다면, 화자가 관찰자로 있어야 하고, 설정한 화자가 모든 것을 알고 있다면, 끝까지 모든 것을 아는 화자가 되어야 한다. 즉 모든 화자는 시인이 설정한 자리에서 시인이 의도한대로만 움직이거나 보아야 하고, 심지어 어떤 생각마저도 시인이 정한 시간과 장소에서 해야 한다. 화자는 시인이 아니라, 시인이 조종하는 아바타이다.

3강

시에 대한 편견

시 쓰기를 오래 했어도 좋은 시를 쓰지 못한 경우가 많다. 심지어 50년가량 시를 썼지만 이렇다 할 시를 쓰지 못한 사람도 있다. 어쩌면 이런 사람은 한 두 명이 아니라, 수천 명 수만 명일지도 모른다. 이런 사람들은 대개 몇 개의 부류로 나눌 수 있다.

① 자기가 아는 시가 따로 있다.
② 이미 잘못 쓴 습관대로 시를 쓴다.
③ 대충 공부한 후, 시를 잘 쓰겠다는 망상을 가지고 있다.
④ 공부는 딴전이고, 유명해지려는 욕망에 사로잡혀 있다.

⑤ 말이나 머리로만 시를 쓰고, 실제 시 쓰기는 게을리 한다.
⑥ 아주 오래된 명작과 비슷하게 쓰려고만 한다.

　시를 오래 썼고, 부지런히 시 쓰기를 했어도, 시를 못 쓰는 경우에는 자신의 시 쓰기를 다시 점검해야 한다. 먼저 자신이 생각하는 시가 따로 있는지 살필 필요가 있다.

　시는 무언가 멋진 말로 쓰인 암호 같다.

　이런 생각을 하고 있는지 살펴보아야 한다. 대부분의 사람은 '나는 그렇지 않다'고 대답할 것이다. 그렇다면 다음 글을 보자.

절벽에 부리를 박는 독수리는
프로메테우스다 옷을 벗는 고통이 없이는
새로 태어날 수 없다 분노도 슬픔도
바위로 깬다 머리를 부술 듯
속도가 힘이다 사랑한다
부리가 깨진 말들을 너에게 건넨다
뫼비우스 띠와 같이 너에게로 간다

위의 글을 한 번 분석해 보라. 사람들은 대개 어떤 글을 읽으면서 좋다와 나쁘다로 판단을 먼저 한다. 그런데 "왜 좋은가?"라고 물으면 "그냥 좋다" 혹은 "그냥 나쁘다"라고 답하는 경우가 많다. 만약에 위의 글을 읽고 "왜?"라는 질문에 답을 하지 못했다면, 시 공부를 다시 해야 한다.

결론 삼아 말하면, 위의 글은 시가 아니다. 시 형식을 빌리고는 있지만, 문장도 제대로 되지 않았다. 그저 모호한 말의 억지스러운 나열에 불과하다. 설령 문장이 되는 구석이 있다고 하더라도 앞 문장과 뒷문장이 아무런 관련이 없다. 혹시 위의 글을 제법 괜찮은 시라고 생각한 사람이라면, 지금껏 자신이 시라고 알고 있었던 모든 지식을 지워야 한다.

첫 문장을 보자. '절벽에 부리를 박는 독수리는 프로메테우스다'라고 했다. 문장 성분상 결함은 없다. 그런데 뒤의 문장과 연결해서 읽었을 때, 이 문장은 그저 헛소리에 불과하다. 즉, 위의 글 전체를 읽어보아도 독수리가 왜 프로메테우스인지 알 수가 없다. 따라서 이 문장은 의미 없는 것이며, 혼잣소리이다. 대개 이런 진술 문장이 맨 앞에 쓰였다면, 그렇게 진술한 근거를 다음 문장에서 제시해야 한다. 그런데 위의 글은 그런 내용이 없다.

두 번째 문장은 '옷을 벗는 고통이 없이는 새로 태어날 수 없다'이다. 이 문장은 도대체 무슨 말을 하려는지 알 수가 없다. 태어나는 것은 생물에 해당되는 문제이지만, 옷을 벗는 것은 인간의 일이다. 그리고 옷을 벗는 일이 다시 태어나는 것과 무슨 상관이 있는지 알 수 없다. 어떤 특정한 상황 속에서 옷을 벗는 일이 다시 태어나는 것과 유사한 의미를 지닐 수는 있겠지만, 일상의 상황에서는 관련이 없다. 또한 옷은 이미 태어난 존재에게만 입히기 때문에, 옷을 벗는다는 행위를 태어나는 행위에 비유하는 것도 억지스럽다. 그리고 중요한 것은 이 문장의 주어는 무엇인가? '내가'를 주어로 넣고 읽어도 어색하고, 앞 문장의 주어인 '독수리가'를 주어로 넣고 읽어도 맞지 않다. 즉 이 문장은 자체적으로는 비문이 아니지만, 의미 전달이 불가능한 문장이다. 그럼에도 불구하고, 만약 이 문장을 무리 없이 독해한 사람이 있다면, 그는 보통 사람과 소통이 불가능한 천재이거나 문장을 독해할 능력이 없는 사람이다.

세 번째 문장인 '분노도 슬픔도 바위로 깬다'는 구절은 '주어'가 문제이다. 이 문장을 읽으면서 자신도 모르게, '독수리는 분노나 슬픔이라는 바위를 깬다'로 문장을 만들어 읽은 사람이 있다면, 지레짐작으로 문장을 읽는 습관을 고쳐야 한다. 문장을 있는 그대로 해석하면, '독수리가 바위로 분노나 슬픔을 깬다'라는 의미가 되는데, 이도 어색한 진술이다. 독수리는 바위를 도구로 사용할 수 없다.

네 번째 문장인 '머리를 부술 듯 속도가 힘이다'라는 문장은 완벽한 비문이다. 주술관계를 따졌을 때, '속도가 힘이다'라는 문장은 별 무리가 없지만, 문제는 '머리를 부술 듯'이라는 관형절이 문제이다. 풀이하자면 '머리를 부술 듯' 한다는 게 무엇인지 나타나지 않았다. 만약 '속도'를 주어로 한다면, '속도가 머리를 부술 듯이 힘이다'라는 문장으로 바로잡을 수 있는데, 의미를 독해할 수 없다. 또한 주어를 생략한 문장으로 본다면, '(무엇이) 머리를 부술 듯이 속도가 힘이다'라는 의미로 정리할 수 있으므로 하나의 서술어에 함께 쓰인 주어가 둘이다. 따라서 문장이 되지 않는다.

다섯 번째 문장, '사랑한다'의 생략된 주어를 '나는'으로 보았을 때, 그 자체는 문제가 없다. 다만 맥락상 별 의미가 없는 말이다.

여섯 번째 문장인 '부리가 깨진 말들을 너에게 건넨다'의 경우에는 독수리를 연상할 수는 있지만, 그렇게 해석하는 것은 억지이다. 분명하게 '부리가 깨어진 말'이라 했으므로, '말'의 부리가 깨진 셈인데, 말에 부리가 있다는 전제가 없으므로 이도 비문이다.

일곱 번째 문장인 '뫼비우스 띠와 같이 너에게로 간다'도 뫼비우스 띠를 가져와 멋을 부렸지만, '뫼비우스 띠와 같이'라는 게 어떤 의미인지 독해할 수 없다. 시어는 분명하고 명확하게 말하는 방식이지, 쉽게 할 수 있는 말을 이처럼 비비꼬아서 하는 말이 아니다.

이처럼 모호한 말로 이루어진 글을 시라고 착각하는 사람이라면, 자기 자신의 글을 면밀히 분석하고, 점검해 보아야 한다.

이상으로 ①자기가 알고 있는 시가 따로 있는 경우의 문제점을 살펴보았다. ②의 부류도 ①과 관련된다. 시를 잘못 알고 있으니, 그렇게 잘못 알고 있는 시를 계속 쓴다. 그림을 배울 생각을 아예 하지 않고, 혼자서 낙서하고 있으면서, 자신이 평생 동안 그림을 그려왔다고 말하는 경우와 같다. 이런 경우에는 아무리 천재적 재능을 타고 났더라도 구석기 시대에 머무른다. 당연히 시 쓰기 실력이 늘지 않는다. 공부할 수 있는 충분한 책이 있고, 찾아보면 좋은 스승을 찾을 수도 있을 것인데, 지혜가 없다. 그리고 자기 고집대로 쓴 엉성한 글을 시라고 믿고 있으니, 손톱으로 천 평 땅을 농사짓겠다는 것과 같다. 손톱으로 쟁기질 하듯이 시를 쓰고 있으니, 손톱만 빠질 수밖에 없다.

③, ④, ⑤, ⑥의 경우는 자기 스스로 생각해 보아야 한다. 아무리 시를 잘 쓰는 시인도 쓰는 글마다 시가 되지는 않는다. 아마추어는 자기가 쓴 모든 시를 명작으로 만들려는 욕심이 있고, 프로는 자기가 쓴 글을 최대한 잘 버릴 줄 안다. 많이 쓰고 많이 버릴 수 있어야 한다. 그리고 매일 하루 2시간 이상씩 시를 써야 시가 는다. 한 번 잘 썼다고 언제든 잘 쓸 수는 없다. 시는 늘 새로워야 해서 시인은 날마다 새로움을 모색해야 한다. 그리고 새 글을 쓸 때마다 습관적으로 쓰고 있지는 않는지, 오래 전의 명작을 모방하는데 그친 것은 아닌지, 살펴야 한다.

앞에서 열거한 여섯 부류의 사람들만이 아니라, 시를 못 쓰는 사람들은 더 많은 부류가 있다. 그런데 이들의 공통점이 하나 있다. 이들은 자신의 시를 객관적으로 바라보지 못하고, 다른 시인의 작품도 엄격하게 분석할 능력이 없다. 따라서 이름 있는 이가 좋은 시라고 말하면, 그 작품을 무조건적으로 좋은 작품으로 여긴다. 시에 대한 식견이 부족하기 때문에 타인의 시각에 의지해서 작품을 본다.

따라서 이들은 어떤 문학상을 받았다는 작품이나 누군가가 좋다고 한 작품을 좋은 작품이라고 맹신한다. 이것이 문제이다. 어떤 작품이 좋은지를 모르기 때문에 본인이 쓰고자 하는 시도 오리무중일 수밖에 없다.

4강

관념적 수식

1) 보고 싶다

내 서러운 그리움은 지워지지 않고

창공에 번진다

가지 못한 푸른 기억에

자전거를 타지만

순한 마음은

황홀처럼 얼룩진다

뜨거운 열정의 시절은

음악처럼 흘러가고

잊을 수 없는 약속에

아련한 추억은

외로이 춥다

1)의 습작시는 관념적 수식이 많아서 이해가 쉽지 않다. 예를 들어 '서러운 그리움', '가지 못한 푸른 기억', '순한 마음' 등에서 보이듯 관념어를 관념어로 수식해서 정확한 의미가 파악 되지 않는다. 관념어는 개개인이 가지고 있는 의미의 차이가 커서 각자의 편견으로 이해하게 된다. 따라서 관념어가 많은 작품은 시의 이해를 막연하게 하고, 관념어로 수식까지 덧붙이면 그야말로 관념의 늪이 된다. 그래서 시에서는 구체성을 강조한다. '서러운 그리움'이라고 하였을 때, 어떤 이미지가 떠오르는가? 물론 '서러운 그리움'은 막연한 말이기 때문에 누구든 자기의 '서러운 그리움'을 생각해 낼 것이다. 그러나 저마다 떠오른 이미지가 같을 수는 없다. 즉 A가 생각한 '서러운 그리움'과 B가 생각한 '서러운 그리움'은 다르다. 어떤 이는 사랑했던 애인과 헤어지고 나서 그 애인을 떠올리고, 또 다른 이는 아버지를 잃고 나서 아버지에 대한 고마움을 생각한다. 이처럼 관념어에 대한 이해는 각자가 다르다. 이 점 때문에 시에서는 관념어 사용을 조심한다.

구체적으로 살펴보자.

　1)의 작품은 앞에서 지적한 것처럼 관념적 수식이 문제이다. '가지 못한 푸른 기억에/자전거를 타지만/착한 마음은/황홀처럼 얼룩진다'라는 구절은 문장이 뒤틀렸다. 이 문장은 두 개의 문장이 이어져 있다. 먼저 수식어를 빼고 문장 정리를 해 보자. 이 문장은 '(나는) 자전거를 탄다'라는 문장과 '마음은 얼룩진다'라는 문장이 연결된 이어진 문장이다. 핵심성분만 보았을 때, 이 문장들은 특별히 문제가 없다. 그런데 불필요한 관념어가 들어가면서 문장은 꼬이고, 내용은 더욱 모호해졌다.

　'가지 못한 푸른 기억에 자전거를 타지만'을 다른 말로 풀어 쓰면, '가지 못한 푸른 기억 때문에 자전거를 타지만'과 '가지 못한 푸른 기억에서 자전거를 타지만'으로 바꿀 수 있다. 그러나 어떤 말로 바꾸어도 어색하다. 이는 부사격조사 '에'를 모호하게 사용하였기 때문이다. 즉 '기억'을 수식하는 부사어로 '가지 못한'과 '푸른'이 있는데, 부사절 '가지 못한'과 '기억에'의 의미가 충돌한다. 즉 기억에 가지 못했는데, 그 기억에서 자전거를 탄다는 의미가 되므로 모순이다.

　한 가지 더 지적하면, '가지 못한 기억'이라고 했는데, '가지 못한'이라는 부사절이 걸린다. 기억이 있다는 것은 경험한 세계이기 때문에, 기억의 내용은 '갔던' 세계의 것이다. 그러므로 이 기억은 '가지 못한 기억'일 수는 없다.

그 다음 구절도 문제가 많다. '뜨거운 열정의 시절'이나 '잊을 수 없는 약속', '아련한 추억' 같은 경우도 관념어로 수식을 하였기 때문에 시어의 선명성을 망쳤다.

따라서 1)의 작품은 이 상태로는 소통이 불가능한 작품이다. 고쳐 써야 한다. 고칠 때에는 최소한의 문장 성분만 남기고, 나머지는 지운다. 특히 '관념적 수식'은 철저히 제거해야 한다. 그렇게 하면, 시인이 말하고자 하는 의도가 보다 분명해진다. 예를 들면 다음과 같이 1차 수정을 할 필요가 있다.

2) 보고 싶다
내 그리움은
창공에 번진다
가지 못할 기억 속으로
자전거를 탄다
마음은
황홀처럼 얼룩진다
지난 시절은

음악처럼 흘러갔으나

잊을 수 없는 약속 때문에

추억은

춥다

어떤가? 위와 같이 고치면, 개별적인 문장은 문제가 없다. 그래도 무언가 어색하다. 어떤 선명한 이미지나 예기치 못한 깨달음이 있는 것도 아니다. 사실 이 작품은 화자의 생각이 불분명해서 무슨 의미를 전달하려 했는지, 감을 잡기가 어렵다. 수식어만이 아니라 수식되는 말도 관념어. 즉 이 작품은 '어떤 의미'를 관념어를 통해 표현하였다. 다시 작품에 쓰인 단어들을 살펴보자. 화자가 말하고자 하는 것은 1행의 '보고 싶다'는 말과 2행의 '그리움', 4행의 '기억', 6행의 '마음' 8행의 '시절', 10행의 '약속' 11행의 '추억' 등이다. 이들의 공통점은 관념어라는 것인데, 이러한 관념어들이 구체성 획득에 실패했기 때문에 시 전체가 꿈속인 것처럼 모호함 속에 놓인다. 이를 고쳐서 구체어와 구체적인 사물을 통해 의미를 전달해야 소통이 분명해진다.

이제 다른 작품을 살펴보자.

3) 어제는 기억 속의 단풍을 보았다
붉고 노란색의 잎들이 저마다 나부끼고 있었다

황홀한 슬픔
꿈에도 그리운 옛 시절의 실루엣

어여쁜 기억에 콧노래를 부르는데
들뜬 얼굴에 단풍 든 사람들이 수없이 많이 지나갔다

정다운 사람은 모두 떠나갔구나

추억의 계절이 문득 떠올라
설움의 잎들이 하늘을 수놓았다

나는 자꾸 옛 생각이 났다

3)의 결정적인 결함은 '황홀한 슬픔', '옛 시절의 실루엣', '설움의 잎' 등에서 볼 수 있는 관념적 수식이다. 초보자들이 흔히 범하는 오류 중 대표적인 것인데, '설움의 잎'처럼 모호한 관념으로 어떤 대상을 수식한다. 이는 대상을 더 구체적으로 하는 게 아니라, 대상을 더욱 감추어버린다. 관념은 구

체성이 없다. 오히려 대상의 실체를 더 흐리게 하는 게 관념어이다. 이는 관념을 사물화 하는 것과는 전혀 다르다.

먼저 관념어로 수식하는 것을 피해야 한다. 눈물의 강, 기원의 별빛, 영원한 태양, 서러운 나뭇잎, 절망의 병뚜껑, 비극의 장 등의 표현이 그렇다. 그런데 습관적으로 관념적 수식을 사용하는 사람들이 있다. 머릿속의 정서를 섣불리 대상에 주입시키려하기 때문이다.

습작시 3)에는 몇 가지 문제가 더 있다. 인식의 단절도 심하다. 각 연의 내용이 앞뒤와 연관성 없이 따로 논다. 시에서 인식의 단절은 은유 효과를 살릴 때 쓰는 고도의 방법이지만, 이 작품에서는 그런 게 아니다.

그리고 첫 문장에 쓴 '어제'라는 시제는 불필요하다. 글을 쓴 이를 중심으로 보기에는 '어제'라는 시간이 있겠지만, 글을 읽는 독자의 '어제'와 글을 쓴 이의 '어제'는 다른 날이다. 따라서 이 글이 누군가에게 읽히기 위한 것이라면, '어제'는 빠져도 좋다.

'붉고 노란색'도 걸린다. '붉은색, 노란색의 잎'이라는 의미 전달은 되겠지만, 붉으면서 동시에 노란색은 없다. 잘못된 문장이다. 만약에 고친다면, '붉거나 노란 잎들'이라고 해야 한다.

'나부끼다'라는 말도 잘못 쓰였다. '나부끼다'의 사전적 의미는 '(깃발 따위가) 날리어 흔들리다'라는 의미를 지니고 있다. 그러나 나뭇잎은 흔들리기는 하지만, 깃발처럼 휘어지며 흔들리지는 않는다.

만약 3)의 작품을 다음과 같이 썼다면 어떨까?

4)그대와 걸었던 어여쁜 길이다
마음을 다 보여주지 못해 피멍 든 가슴만 쓸어내리던 슬픈 날들이 있었다
어둠이 다가오자 단풍은 추억처럼 바래갔다
단풍은 내 심장을 꺼내 놓은 것처럼 타오르고 있었다

4)는 3)보다는 나아졌다. 만약 위와 같은 글을 SNS상에 썼다면, 잘 썼다고 칭찬을 들을지도 모른다. 그러나 거기에 현혹되면 안 된다. 대중의 평가에 속지 않아야 한다. 대중들은 '문학적인가 아닌가'를 따지지 않는다. 또한 그러한 것을 따지더라도 평가 기준을 명확하게 가지고 있지 않는 경우가 많다. 따라서 일반적인 대중들이 평가하는 것은 의미가 없다.

그렇다면 다음의 경우는 어떠한가?

5) 추억으로 물든 길은 그대와 걸었던 길로 흘러가고 있다
하늘에 노랑 물감 빨강 물감이 터진다
행복했던 시절이 폭죽처럼 사라진다
아름다운 날은 스쳐간 인연처럼 잡을 수 없다

5)의 경우에는 직유법을 써서 대상을 구체적으로 표현하려
하였다. 또한 5)의 1행에서 시간을 '흘러가는 물질'로 표현하
여 구체화 하려 했다는 점은 높이 살만하다. 2행의 '하늘에
노랑 물감 빨강 물감이 터진다'는 은유도 그럴 듯하다.

그러나 감동은 없다.
이유는 두 가지 때문이다. 그 중 한 가지는 단풍을 물감으
로 은유하였는데, 관습적 표현에 가까운 비유라서 신선하지
않다. 그리고 2연과 3연에서는 이미지의 충돌이 있다. 단풍
이 활짝 핀 모습을 물감이 터진다고 했는데, 이어지는 구절
에서는 '사라진다'는 이미지가 나왔다. 따라서 짙게 물들어가
는 단풍의 이미지와 '폭죽처럼 행복했던 시절이 사라지는' 이
미지는 서로를 돕지 못하고 반목하고 있다.

새로운 글이 가치를 지니려면, '그래서 어떤 의미가 있는데?'라는 질문에 대해 대답할 수 있어야 한다. 그런 질문을 하지 않으면 다음과 같은 형태의 글이 나온다.

6)아주 오래 전에 그대와 이 길을 걸었다. 그 때도 단풍이 한창이었다. 나는 내 속마음을 다 드러내 보여주고 싶었다. 하지만 그렇게 할 수 없었다. 그대는 이미 멀어졌고, 나는 혼자 이 길을 간다. 단풍이 피었다.

이렇게 쓴다면 문장 문제는 없다. 그러나 산문에 불과하고, 설명이다. 이를 시로 표현하는 방식은 구체적인 비유를 통해야 한다. 그리고 그것이 함축적이어야 한다. 누구든 하나의 문장을 만들 수는 있지만, 인상 깊은 문장을 써내지는 못한다.

기존의 좋은 작품을 토대로 연습을 해야 한다. 하나의 대상에서 전혀 다른 무엇을 떠올리거나, 하나의 대상에서 아주 다른 의미를 개발해야 한다. 이때 유효한 것이 직유법이다. 직유법을 통해 어떤 대상이든지 구체적으로 사물화한다면, 시의 근본을 갖춘 글이 된다. 먼저 연상해보자. 그리고 단풍 하나를 보더라도 '단풍은 붉다, 붉은 그리움, 붉은 심장' 이런 식으로 연결할 수 있는 힘이 필요하다. 이런 사유 끝에, '붉은 것=그리움=붉은 심장'으로 연결되는 은유의 계열관계를 알 수 있고, 그 후에 새로운 상상을 더하는 건 큰 문제가 아니다.

예를 든다면, 단풍을 보면서,

'심장을 꺼내 놓았다'라는 문장을 생각할 수 있어야 한다. 남들이 쉽게 상상할 수 없는 것으로 비유해야 눈에 들어온다. 평범한 것은 계속 평범함에 그친다. 시인은 관습적인 시각을 버리고, 어떤 대상을 낯설게 대할 수 있어야 한다.

한 잎의 단풍을 보고, '불에 단 인두로 허벅지를 지진 흔적 같다'처럼 전혀 엉뚱한 발상을 할 수 있어야 한다. 이렇게 시작하는 방법이 '낯설게 하기' 방법이다. 제목은 '단풍'이라 붙여도 좋고, 재미있게 비튼 제목을 써도 좋다. 시인은 일단 생각이 낯설어야 한다. 그리고 그 낯섦을 납득할 수 있게 말해야 한다. 그런 발상을 하였다면 다음과 같은 표현도 가능하다.

심장을 꺼내 놓았다
간을 꺼내 놓았다

　이 문장은 '단풍을 보니, 마치 배를 갈라 심장과 간을 꺼내 놓은 것처럼 붉게 보였다'는 의미의 표현이다. 단풍이란 게 결국 제 안 깊은 곳에 감추어진 심장을 꺼내 놓은 게 아닐까? 이렇게 쓰면 단풍과 심장의 거리가 멀어서 표현이 살아난다. 이와 유사하게 낯선 발상을 한 후에 다음 구절을 이어써 보자.

5강

장식적 수사

대학 2학년 때였다. 문예창작과에 재학 중이었기에, 우리는 매월 1편 이상의 시를 제출해야 했다. 물론 더 많은 시를 제출해도 되었지만, 수업시간에 합평을 받을 수 있는 작품은 1편으로 제한되었다.

고수가 보기에 내 작품은 어떤 결함이 있을까?
어떤 점을 보완하면 나도 시인이 될 수 있을까?

이런 고민을 하였고, 시원스레 그동안 쓴 작품 전체를 검토 받았으면 좋겠다는 생각을 하고 있을 때였다. 어느 날 지도교수님으로부터 연락이 왔다. 지금껏 쓴 시 중 10편을 골라 가져오라고 하였다. 어려운 일이 아니었다. 내게는 수 천 편의 시가 있었다. 그런데 막상 가져갈 작품을 고르다 보니 마땅한 것이 없었다. 한 때는 잘 썼다고 생각했던 것도 다시 읽어보니, 엉망인 대목이 많았고, 별로라고 생각했던 것은 여전히 형편없었다. 그래서 10편의 작품을 고르지 못하고 머뭇거리다가, 정해진 합평 시간에 한 편을 냈다.

그러나 그 작품은 야심작이었다. 무려 130행정도 되는 장시였는데, 신작이었고, 이전의 내가 쓴 습작시와는 차원이 달랐다. 나는 8절지(A3) 가운데에 선을 긋고, 양쪽에 빽빽이 시를 옮겨 적었다.

제출할 준비를 마치고나니 뿌듯했다. 내가 보기에 그 작품의 문장은 구체적이었고, 구절구절이 미문이었고, 이전의 다른 시인들이 생각하지도 못했을 새로운 표현으로 가득했다.

나는 압도적인 작품을 쓴 것이다!

그런데 합평 시간이 되어 교수님이 나누어준 내 시의 복사본(합평을 하기 위해 첨삭 지도를 한 작품을 학생 수만큼 복사를 해왔다.)은 새카맸다. 지도교수는 시적으로 문제가 있는 구절을 사인펜으로 지워버린 후 그걸 그대로 복사해서 학생들에게 나누어주었는데, 내 작품이 가장 처참하게 난도질 되어 있었다. 사인펜 선이 그어지지 않는 문장은 불과 8문장이었다.

그리고 합평 시간이 되었다. 교수님이 학생들에게 물었다.

까맣게 지워진 부분에 어떤 문제가 있는가?

왜 이 많은 구절을 지웠을까?
지운 구절에는 각각 어떤 문제가 있는가?
이런 질문이었다. 학생들은 저마다의 생각을 말했다. 어떤 학생은 지워진 부분에 의문을 품었고, 어떤 학생은 교수가 지운 부분에 동감했다.

멋진 문장은 다 지워지고, 남아있는 8줄의 문장은 심심하기 그지없는 습작시. '나는 시를 배우러 왔지 산문을 배우러 대학에 온 게 아니다' 아무리 교수님의 식견을 인정하더라도 그의 시에 대한 견해는 '편견'일 뿐이라 생각했다.

그러나 만약 교수님이 첨삭한 것이 맞다면?,

이제껏 내가 알고 있었던 시는 무엇이란 말인가? 그토록 멋있고, 그토록 새로운 언어들이 시가 아니고, 평범한 문장이 시라니!

나의 회의했고, 의심했다. 믿고 있었던 교수님의 시를 보는 눈도 절대적인 것은 아니어서, 아마 실수했을 것이라 생각했다. 의문은 곰팡이처럼 자기증식을 했다. 거의 일상어에 가까운 문장들, 아무런 꾸밈도 없고, 정서도 없고, 사실 전달만 하는 문장들만 남긴 교수님의 저의가 무엇일까?

'시라는 것은 무언가 일상적이지 않는 멋진 말로 이루어진 문장이 아닌가?'

나는 이런 생각으로 가득 차 있었다. 그런데 시적으로 보이는 멋진 문장을 다 지우고, 저렇게 심심한 문장으로 시를 쓴다면, 시 공부를 따로 할 게 뭐가 있겠는가?

이해를 돕기 위해 그때의 작품을 일부만 옮겨보면 다음과 같다.

골목길 여기저기 부딪혀

코피 터진 바람이 벽을 타고

이층으로 올라와 창을 두드린다

나뭇가지를 헤치고 온 바람은

더욱 발톱이 날카로워져서

창에 이마를 부딪고 이마에서 피가 줄줄 흘러서

창에 얼룩을 남기며 웅웅 소리를 질러댄다

비행기 소리는 고막을 찢으며 날아오르고

너무 큰 소리에 귀가 먹은 우리는

날아오를 꿈을 잊고 모서리에 앉아 술을 마시고

허공을 향해 개새끼들 죽여 버릴 거야

녹슨 철근처럼 소리 지르는데

골목 모서리에 강아지풀이 꽃을 피웠다

(습작시 「신월동에 버린 노래」 앞부분)

그 당시의 나는 '골목길 여기저기 부딪혀/코피 터진 바람이/벽을 타고/이층으로 올라와 창을 두드린다'와 같은 구절을 잘 썼다고 '믿고' 있었다.

생각을 바꾸기는 쉽지 않았다. 시에 대한 내 선입관을 깨는 데는 고통이 따랐다.

나는 시를 분명히 알지 못하고, 대충 알고, 거꾸로 알고 있었다.

하지만 그때의 나는 내 작품이 함부로 평가된 데에 먼저 화가 났다. 내가 생각하기에 가장 좋은 구절엔 검은 매직선이 그어져 있었기에, 이렇게 아름다운 시를 엉망으로 만들어버린 교수의 실력이 문제가 있는 것 아니냐는 의문까지 품었다.

그러나 나는 마냥 화를 내고 있지는 않았다. 교수님의 견해에 문제가 있는지, 시에 대한 나의 편견에 문제가 있는지 분명히 알아야 했다. 그래야 교수의 문제를 명확히 지적하고 따질 수 있지 않겠는가. 나는 화를 삭이고 한 달 동안 그 작품을 보고 또 보았다.

무엇이 문제였을까?

만약 자신이 시창작을 가르치는 교수라면,

위의 습작시에 대해 어떤 조언을 해줄 수 있겠는가?

고칠 부분은 어디이고, 왜 고쳐야 하며, 어떻게 고쳐야 하는가?

남길만한 구절은 없는가?

지우지 않을 대목이 있다면 어느 문장의 어떤 부분인가?

나는 교수님이 남긴 구절보다 지워버린 구절이 더 시다운 것이라고 주장하고 싶어서 각종 이론서를 뒤지고, 시를 더 읽었다.

그리고 한 달 후,

나는 스스로 교수님이 왜 그렇게 수많은 구절을 지웠는지, 이해할 수 있었다.

그때 비로소 시에 대한 생각이 트였다.

'시는 명확하고 함축적인 언어로 말하는 것이다'는 것,

명확하고, 분명하고, 구체적인 언어이어야 함을 알게 되었다.

아래의 설명을 더 읽기 전에 먼저 펜을 들고, 위의 습작품에 체크를 해 보라. 작품을 쓰는 것도 좋은 훈련이지만, 작품을 분석하는 것도 자기 발전을 위해서는 좋은 방법이다.

습작시 「신월동에 버린 노래」로 돌아가 보자.
습작시 「신월동에 버린 노래」가 다소 난해하다고 느껴지면, 먼저 주술관계에 맞춰 문장을 정리할 필요가 있다. 한국어의 기본 문장은,

'주어+목적어+서술어'의 구조로 이루어지거나,
'주어+보어+서술어'의 구조로 이루어진다. 따라서 위의 작품 내용을 간추리면 다음과 같다.

바람이 창을 두드린다.
바람은 소리를 질러댄다.
강아지풀이 꽃을 피웠다.

이 세 문장 이외에는 수식 문장이거나 이어진 문장으로 되어 있다. 그리고 다른 대부분은 수식어로 이루어져 있다. 이렇게 난삽한 글은 시어와 비슷한 '작위적 수사' '관념적 표현'

'관습적 비유' 등이 가득한, 언어의 쓰레기이다. 따라서 습작 시 13행의 글보다 간추린 3문장이 훨씬 시에 가깝다.

그런데 그때의 나는 시에 대한 선입관이 있었다. 그런 쓰레기 글을 멋있다고 착각했다.

혈기만 앞섰던 나는 위의 습작시가 조지훈의 「승무」 같은 시와 별 차이가 없다고 보았다. 그런데 그것은 심각한 오해였고, 병이었다. 결과적으로 말하면 이 두 작품은 비교 대상조차 되지 않을 정도로 수준 차이가 난다.

먼저 조지훈의 「승무」 일부를 살펴보자. 승무의 시작 부분은 다음과 같다.

얇은 사 하이얀 고깔은 고이 접어서 나빌레라.
파르라니 깎은 머리 박사고깔에 감추오고,
두볼에 흐르는 빛이 정작으로 고와서 서러워라.

— 조지훈, 「승무」 부분

위의 구절도 주술관계만 살펴보면 다음과 같다.

고깔은 나빌레라.

빛이 서러워라.

주술관계만을 밝힌 문장은 건조하다. (물론 문장이 하나 더 있다. 두 문장 사이에는 '(그녀는) 머리를 감추오고'라는 이어진 문장이 있다.) 이처럼 주어와 서술어만을 써서 시가 되기는 어렵다. 그래서 주어와 목적어(혹은 보어)와 서술어를 꾸며서 시어를 빚는다. 그런데 어떻게 꾸몄느냐에 따라 수준은 달라진다.

결국 시는 말의 멋을 내는데, 어떻게 내느냐의 문제다.

습작시와 조지훈의 작품에는 어떤 차이가 있어서, 내가 쓴 습작시는 시로써 성공하지 못한 글이 되었고, 조지훈의 작품은 명시로 남게 되었을까?

그 차이를 살펴보자.

먼저 습작시의 경우는 너무 장식이 많고, 그 장식이 작위적이다. 그러나 조지훈의 시는 수식에 품격이 있고, 절제된 언어 쓰임이 있어서 읽는 이가 문장을 읽는 사이에 아름다움을 느낀다. 고깔 하나를 말하는데 '얇은 사 하이얀'이라는 수식을 얹었다. 만약 이 구절을 '얇은 비단 하얀 고깔'로 표현해서, '얇은 비단 하얀 고깔은 곱게 접어서 나비 같구나'라고 썼더라면 시의 맛은 한결 떨어졌을 것이다.

이것만이 아니다.

습작시 「신월동에 버린 노래」는 작위적 표현에 의지했지만, 조지훈의 「승무」는 구체적 표현을 했다는 차이도 있다. 습작시의 경우 '바람'을 구체화 한다면서 혼자만의 생각으로 바람이 '골목길 여기저기 다니다가 코피 터졌다'고 했다. 의인법까지 동원 하였지만, 내용을 분석하면, 허황되고 억지스럽다. 즉 바람이 코피 터졌다는데, 사람으로 형상화 되지도 않았던 바람이 코피 터졌다. 또 의인화된 바람이 갑자기 '2층 창문을 두드린다'라는 설정도 어색하다. 바람이 사람이라면, 2층 창문을 두드릴 수 없고, 바람이 바람 자체라면, 사람의 행동을 할 수가 없다. 따라서 의인화에 실패했다. 이렇게 억지스러운 표현을 '작위적 수사'라 하고, 그런 수식이 덕지덕지 붙은 것을 '장식적 수식'라 한다. 작위적 수사와 장식적 수식을 남발한 작품은, 온갖 오물과 쓰레기로 치장을 한 사람과 같다.

　따라서 습작시 「신월동에 버린 노래」는 겉멋만 들었지, 품격이 없다. 따지고 보면 그 겉멋도 미적인 요소가 거의 없다.

　다음은 습작시 「신월동에 버린 노래」를 구체적으로 분석한다면 어떻게 되는지의 예이다. 이른바 첨삭지도 방법이다.

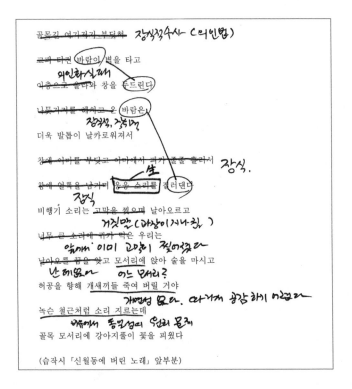

(습작시 「신월동에 버린 노래」 앞부분)

남길 문장이 별로 없다. 이 작품은 문학 작품을 더욱 문학적이게 할 수식어나 수식언에 지나치게 장식적 표현을 하였고, 작위적 수사를 남발한 통에 실패했다.

만약 누군가가 위의 작품을 봐달라고 했다면, 지금의 나는 단 한 줄만 남기고 다 지울 것 같다.

'골목 모서리에 강아지풀이 꽃을 피웠다'

어설픈 것을 다 지운 후, 이것만 남기는 게 시다.
그리고 다시 고민을 해야 한다.

습작시 자가진단법

한 편의 시를 썼다면 다음과 같이 자가진단을 할 필요가 있다. 대부분 남의 원고는 잘 보지만, 자기 원고는 잘 보지 못한다. 그것은 자기가 쓴 글에 자기가 현혹되어 있기 때문이다. 습작기 때만이 아니라, 시를 잘 쓴다는 시인들도 마찬가지이다. 한 번 쓰고 나서 자기 시의 문제점을 한눈에 잡아낼 수 있는 경우는 드물다.

물론 훈련이 된 시인은 남의 시의 문제점만이 아니라, 자기시의 결함도 금방 발견한다. 그러나 그렇다고 해서 모든 시를 수준 높은 작품으로 만들 수 있다는 건 아니다. 어느 시인이든, 고치고, 또 고치고, 생각하고, 다시 고치는 과정을 반복해서 한다. 따라서 얼마만큼 인내심을 가지고 자기 작품을 수정하느냐에 따라 결과물이 달라진다.

일단 시상이 떠올랐으면, 하이에나처럼 그 시상을 물고서

놓지 않아야 한다.

먼저 메모를 한 후, 머릿속으로 그 시상을 계속 굴려본다. 그리고 시상이 정리되면 한 편의 시를 쓴다.

그렇게 해서 한 편의 습작시를 썼다면 몇 가지를 점검해야 한다. 사실 뛰어난 시인과 그렇지 않는 시인은 자기 작품을 얼마나 객관적으로 볼 수 있느냐에 차이가 있다. 좋은 시인은 자기가 쓴 시의 약점을 명확히 파악하지만, 그렇지 않는 시인은 자기 작품의 문제가 무엇인지를 알지 못한다.

먼저 시 작품을 분석할 때는 문장 단위로 끊어서 읽을 필요가 있다. 따라서 초보자이건 숙련자이건 간에 자작시나 다른 사람의 작품을 점검할 때는 대상 작품이 몇 개의 문장으로 되어 있는지를 살펴야 한다.

몇 개의 문장으로 되어 있는가?

이 질문은 반드시 선행되어야 한다. 그리고 각 단계별 점검법에 맞추어 작품 분석을 한다면, 어지간한 문제점은 알 수 있다.

1. 초보자의 자작시 점검법

① 화자는 어디에 있으며, 빈번하게 움직이지는 않았는가?

② 화자가 그 위치에서 볼 수 있고, 생각할 수 있는 내용으로 되어 있는가?

③ 주술관계는 맞는가?

④ 불필요한 수식어는 없는가?

⑤ 관념어는 없는가? 관념어가 있다면 그것을 구체화할 방법은 없는가?

⑥ 시의 내용을 따로 설명해야 하는가?

⑦ 불필요한 접속어는 없는가?

⑧ 비유는 최선인가? 달리 표현할 방법은 없는가?

⑨ 어제 쓴 시와 같은 풍으로, 비슷한 내용을 쓰지는 않았는가?

⑩ 원고를 덮어두고 생각했을 때, 떠오르는 이미지 혹은 다시 되새기고 싶은 어떤 구절이 있는가?

초보자들이 가장 많이 실수하는 게 ①, ②화자의 문제이다. 어디선가 보거나 들었던 것을 시로 옮기는 게 보통이라서, 경험한 현장과 시를 쓰는 곳이 달라서 문제가 생긴다. 그래서 반드시 화자 중심으로 시를 점검해야 한다. 시 속에는 시인은 없고 화자만 있다. 제발 화자를 분명히 하자. 처음 시를 쓰는 사람 중 50% 이상은 이 문제에 빠진다. 만약 화자를 자기 자신의 대리인이 아니라, 다른 사람이나 다른 사물로 특정하였을 때는 특히 주의해야 한다. 시 속에 나오는 말이 화자의 말인지, 시 속에 나오는 어떤 생각이 화자의 것인지를 명확히 짚어봐야 한다. 다시 한 번 시 속의 화자의 위치와 현재 시를 쓰고 있는 본인의 위치와 혼동하지는 않았는가를 살펴보자.

③ 주술관계도 생각보다 많이 틀린다. 특히 시를 이상한 은유의 나열과 쓸데없는 장식으로 치장을 하고, 문장을 꼬아야 한다고 오해하고 있는 습작생들에게서 이 문제가 빈번하게 발생한다. 이 문제를 극복하려면, 먼저 자신이 쓴 시를 문장 단위로 나누어 봐야 한다. 경우에 따라서는 어디에서 문장이 끊어지는 지도 모르는 경우가 있다.

문장이 의심스럽다면, 문장을 끊은 후 문장 단위로 분석을 해 보자. 이 때 서술어에 해당되는 부분에 표시를 하고, 그 다음 서술어에 맞는 주어를 찾아보자. 명사형이나 부사어로 문장이 끝나더라도 반드시 서술어 역할을 하는 단어가 있어야 한다. 문장의 어순을 바꾸어 도치법을 썼더라도 서술어는 반드시 있어야 한다. 한국어 문장에서 서술어 없는 문장은 없다. 즉 한국어에서는 주어나 목적어가 없어도 문장이 되지만, 서술어 없이는 문장이 성립되지 않는다.

④ 불필요한 수식어 문제는 무언가 멋지게 하려다가 생기는 문제이다. 시는 명확한 문장으로 구체성을 통해 어떤 의미를 전달하는 것인데, 내용이 부실하다보니, 자꾸 꾸미게 된다. 그렇다고 시가 되는 것은 아닌데, 알 수 없는 말들로 치장을 하여 덩어리를 만들어 놓으면, 독해할 수 없는 어떤 문장의 덩어리가 된다. 그러나 그것은 쓰레기이지 써 먹을 수 있는 시가 아니다. 아무리 알록달록하여도 쓰레기는 쓰레기이다. '주어와 목적어 혹은 보어와 서술어' 말고는 모두 꾸미는 말이다. 꾸미는 말이 정말로 의미가 있는가. 혹은 꾸미는 말이 문학적으로 신선한 방법인가에 대해 살펴야 한다.

⑤ 초보자들은 관념어의 유혹에 빠지기 쉽다. 그런데 관념어는 모든 것을 두루뭉술하게 뜻하는 것 같지만, 구체성이 떨어진다. 즉 시인이 전달하고자 하는 의미와 독자가 받아들이는 의미의 차이가 크다. 예를 들어 '사랑'이라는 말 하나에도 얼마나 많은 뜻이 내포되어 있는가? 인간 개개인이 가지고 있는 사랑의 의미에도 여러 가지가 있을 것이다. 시에서 관념어를 회피하는 것은 이러한 이유 때문이다. 관념어로는

개성 있는 표현이 불가능하고, 개인의 감정이나 정서를 올바로 전달할 수가 없다. 따라서 꼭 필요한 경우를 제외하고는 관념어 사용을 자제해야 한다. 설령 관념어를 쓰더라도 반드시 사물화 해서 써야할 필요가 있다.

'그 구절을 왜 썼냐면요'
'이 시를 쓴 원래 의도는 이것이 아니라, ……'

　이와 같은 말을 시창작 교실에서 흔히 들을 수 있다. 그러나 모든 독자에게 자기 시의 의도를 설명해 줄 방법이 있지 않다면, 앞의 말은 아무런 의미가 없다.
　⑥시의 내용을 따로 설명해야 한다면 이미 그 시는 잘못 쓴 시이다. 시는 시 작품 자체로 끝난다. 내가 쓴 시를 누군가에게 보여주고, 시인은 침묵하는 자이다. 따라서 합평을 할 때, 시인에게는 발언권을 주지 않아야 한다. 시인이 되려고 마음을 먹었다면, 그것을 감수해야 한다. 시인은 시로써 말한다는 게 바로 이런 의미이다. 어떤 작품에 설명이 필요하다면 두 가지 경우이다. 하나는 원래 의도한 것과는 다르지만, 새로운 시가 되었을 경우이고, 다른 하나는 의도한 바대로 쓰려 했으나 잘못 쓴 경우이다. 첫 번째의 경우에는 이미 다른

시가 되었으므로, 애초의 의도는 깨끗이 지워야 한다. 다른 시에는 다른 의도가 있다. 그러나 두 번째의 경우에는 무엇이 문제인지 분석해야 한다. 어떤 경우에도 따로 설명을 하지 않아야 한다.

⑦ 접속어는 없는가? 접속어는 시상을 무리하게 전개할 때 사용된다. 이때는 접속어가 꼭 필요한지, 접속어 없이는 시상전개가 불가능한지에 대해 살펴야 한다.)

⑧ 비유는 최선인가? 시에서는 비유 하나에 시 전체가 살고 죽는다. 생생하고, 신선한 비유 하나가 있다면, 시는 그것으로 충분하다. 그러나 빤한 비유나 억지스런 비유는 독자를 고단하게 만든다. 따라서 시 전체가 비유로 되어 있다면, 그 비유를 잘 살렸는가? 그것이 참신한 비유인가를 다시 살펴야 하고, 각각의 문장이 비유라면, 그 비유의 문장들이 하나의 이미지, 하나의 주제를 향해 적절히 조화를 이루었는지를 점검해야 한다. 그리고 달리 표현할 방법은 없는가? 다시 물어야 한다.

⑨어제 쓴 시와 같은 풍으로, 비슷한 내용을 썼다면, 그것은 별 의미가 없다. 습관적으로 시에 대한 어떤 편견을 가지고, 반복해서 유사한 시를 쓰는 경우가 있는데, 반드시 고쳐야 할 습관이다. 새로 쓴 시가 자기 자신이나 독자에게 새로

운 질문이 되지 못한다면, 그것은 시가 아니라, 자기복제의 산물이다. 무의식적으로 반복된 시를 쓰고 있지는 않는지, 반드시 점검해야 한다.

⑩ 원고를 덮어두고 생각했을 때, 떠오르는 이미지 혹은 다시 되새기고 싶은 어떤 구절이 있는가? 이 질문은 항상 염두에 두어야 한다. 한 편의 시로 세계가 깜짝 놀랄 어떤 인식을 보여주지는 못할지라도, 하나의 이미지라도 선명히 떠올라야 한다. 독자는 감동 받을 준비를 하고 시를 읽는다. 그렇게 좋은 마음으로 접근한 독자에게 고마워하면서, 그 독자가 실망하지 않게 해야 하는 게 시인의 책무이다. 당신이 자기 시의 최초의 독자가 되어 읽었을 때, 어떤 것을 얻을 수 있었는가?

위와 같이 점검하는 것은 세세하게 살펴보는 방법이다. 그러나 다음과 같이 몇 가지 사항을 중심으로 자기 작품을 점검해 볼 수도 있다.

시 점검 5계(습작시의 경우)
① 화자는 어디에 있는가?
② 주술관계에 문제는 없는가?

③ 앞의 몇 줄을 지워도 되는 건 아닌가?

④ 불필요한 조사는 없는가?

⑤ 가르치려 하지는 않았는가?

2. 숙련자의 자작시 점검법

① 문장의 종결어미를 너무 습관적으로 한 것은 아닌가?

② 이 시를 왜 썼는가? 자아도취에 빠져서 자기 작품을 보고 있지는 않는가?

③ 은유와 상징 등이 적절하고 구체적이며, 누가 읽어도 독해할 수 있는 내용인가?

④ 이 작품이 다른 시와 분명한 차이가 있는가?

⑤ 독자와 시인 자신에게 질문을 던지고 있는가?

⑥ 조사와 수식어는 꼭 필요한 것만 썼는가?

⑦ 메시지 전달에만 치중하지는 않았는가?

⑧ 너무 도덕성을 내세우지는 않았는가?

⑨ 시인 자신에게 즐거움을 주는가?

⑩ 최고로 평가 받는 작품과 나란히 놓았을 때, 초라하지는 않는가?

먼저 ①문장의 종결어미를 살펴보자. 상당수 시인들은 자기의 습관대로 종결어미를 쓰는 경우가 많다. '한다'와 '있다'에 머물러 있으면서 한 번도 다른 시도를 해보지 않았다면, 문제가 있다. 훈련된 독자는 한 권의 시집을 펼쳤을 때, 문장의 끝과 서술어만 보아도 그 시집의 내용이 어느 수준인지를 가늠할 수 있다. 같은 서술어를 반복해서 사용하지는 않았는가? 똑같은 종결어미로 모든 연을 마무리 하지는 않았는가? 따지며 봐야 한다.

②시에는 특별한 목적이 없다. 글을 읽는 즐거움이나 어떤 위로를 줄 수 있으면 된다. 그렇지 않다면 선명하고 생각할 수 있는 어떤 이미지를 전달하거나 독자가 미처 생각하지 못했던 점을 생각하게 해 주는 시도 좋은 시이다. 인간의 말에 대한 회의에서 출발하여 새로운 실험으로 매진한 시도 참 의미가 있고, 어디까지가 시일 수 있을까?라는 질문을 품고 있는 시라면 더욱 즐겁게 읽을 수 있을 것이다. 이러한 전제 하에 새로 쓴 시가 어떤 아름다움이나 되새길 의미를 준다면 그것으로 충분한 가치가 있다. 그런데 한 편의 시가 문장의 아름다움도 없고, 경험도 진부하고, 결론도 빤하고, 문학적 기교도 보잘 것이 없다면, 어떨까? 그것은 시가 아니라, 시라는 이름을 붙인 말장난이거나 말의 쓰레기일 것이다. 다 쓰고 났

는데, 어떠한 이미지도 없고, 독자에게 충격을 주거나 깊이 있는 위로가 될 만한 것이 없다면? 언어에 대한 지극한 사랑과 경외가 없다면? 시인 자신이 자아도취에 빠져서 자기 작품을 보고 있지는 않는가에 대해 의심해야 하고, 자기 자신이 시에 대한 편견에 중독된 것은 아닌지 점검해야 한다.

③은유와 상징에 대한 오해가 있는 창작자들이 자주 범하는 실수가 자기도 명확하게 해석할 수 없는 시를 쓰는 것이다. 그저 은유와 상징을 만들어서 무책임하게 뿌려 놓고는 독자가 알아서 해석하길 원하는 경우도 있다. 이런 경우는 참 답이 없다. 이렇게 무질서하게 창조된 은유와 상징은 미로와도 같다. 해석하면 할수록 독자를 오리무중의 세계로 끌고 간다. 은유와 상징 등은 적절하고 구체적이어야하며, 독해력을 갖춘 사람이라면 누가 읽어도 독해할 수 있어야 한다.

④시인이 새로 쓴 모든 시가 명시가 될 리는 없다. 이따금 평범한 작품도 쓸 수밖에 없다. 그러나 써 놓고 나서 다음과 같은 질문을 해야 한다. 설령 청탁에 밀려 어쩔 수 없이 발표를 하였더라도, 자신이 쓴 시가 어느 정도 수준인지는 알아야 할 것이 아닌가. 이 작품이 다른 시와 분명한 차이가 있는가? 최소한 형식이 새롭거나 방법이 새로워야 한다. 내용의 새로움을 확보할 수 있다면, 더욱 좋다. 새로움의 문제는 예

술 작품으로써의 가치 유무와 관련된다. 따라서 다른 시에서 흔히 볼 수 있는 방법에 의해 썼고, 흔한 결론에 도달하지는 않았는지를 비판적으로 검토해야 한다.

⑤독자와 시인 자신에게 질문을 던지고 있는가? 시는 어떤 철학적인 결론을 얻고자 하는 장르가 아니다. 시는 오히려 질문 자체에 그 의미가 있다. 깊이 사유한 후, '이런 생각도 있어!'라고 말하는 게 시다. 서툰 시인은 어떤 기발한 생각이 떠올랐을 때, 그것을 결론으로 삼고 그 결론으로 가는 내용을 시로 짓지만, 좋은 시인은 어떤 기발한 생각이 났을 때, 그 기발한 생각에서 출발하여 독자와 같이 고민하면서 한 발짝이라도 더 가보려 한다. 결론을 미리 정하고 쓴 글은 읽는 사람이 읽을 때도 빤하고, 결론을 알 수 없이 출발한 글은 독자가 보기에도 호기심이 생긴다. 질문을 던지는 글과 가르치는 글의 차이이다.

⑥조사와 수식어는 꼭 필요한 것만 썼는가? 조사 하나가 바뀌면 전체 시가 바뀐다. 그만큼 조사의 역할은 중요하다. 너무나 빤한 말도 조사를 바꾸었을 때는 시어가 되기도 한다. 조사를 뺐다가 넣는 과정, 조사를 전혀 다른 조사로 바꾸어 보는 것은 퇴고할 때까지 지속되어야 한다. 수식어도 마찬가지이다.

⑦ 메시지 전달에만 치중하지는 않았는가? 행사시를 쓸 때

야 메시지가 우선적일 수가 있지만, 행사시가 아니라면, 써 놓은 작품이 전언에만 충실한 것은 아닌지 면밀히 살펴야 한다. 그리고 메시지 전달을 목적으로 했더라도, '선택한 입장과 다른 입장은 없는가?'에 대한 충분한 고찰이 있어야 한다. '선택한 입장이 개인이나 일부의 정치적 목적에 복무하고 있지는 않는지, 자기 작품이 많은 이들이 옳다고 여기는 빤한 결론을 빤한 작법으로 그리고 있지는 않는지'에 대한 회의적 시각이 필요하다. 그리고 지역적, 편협적이거나, 일부 부족 혹은 민족 감정에 국한된 것은 아닌가에 대해 살펴보아야 한다.

⑧시는 도덕이 아니다. 어떤 문제에 대해 너무 확고부동하게 자신이 맞는다고 생각하지 말라. 자신이 맞다고 여기는 게, 특정 종교인의 입장이거나 시대적으로 전혀 다른 기준이 있는 건 아닌지에 대해 살펴보아야 한다. 도덕성을 내세웠을 때는 빤한 결론에 빤한 훈계라서 재미가 없고, 도덕관념은 시대에 따라 달라지기 때문에 보편성도 없고, 절대적이지 않다. 또한 그런 게 정해져 있고, 그것만이 옳은 세계는 시의 세계가 아니다.

⑨자신이 쓴 시가 시인 자신에게 즐거움을 주는가? 이 질문은 스스로에게 해 보아야 한다. 글을 쓴 본인에게 재미가

없고, 어떤 놀라운 충격도 주지 못한 글은 독자에게도 마찬가지이다.

모든 시가 좋은 평가를 받을 수는 없다. 그러나 시인은 흠결이 없는 시를 써야 한다. 새롭고도 완전한 시가 시인이 꿈꾸는 시의 세계가 아닌가. 자신이 쓴 시가 얼마나 잘 쓴 것인지에 대해 알 수 없을 때는, 이미 명시로 평가 받는 작품과 나란히 놓고, 최대한 객관적으로 비교 분석을 해 보자. 최고로 평가 받는 작품과 나란히 놓았을 때, 초라하지는 않는가? 무언가 부족하다면 어떤 문제가 있는지 다시 점검해야 한다.

이를 바탕으로 한 숙련된 시인의 시 점검 5계는 다음과 같다.

시 점검 5계(시인의 경우)
① 내용을 뒤집었을 때는 어떠한가?
② 비유의 참신성을 확보하고 있는가?
③ 전혀 다른 형식은 불가능한가?
④ 빼도 되는 구절은 없는가?
⑤ 결론을 미리 정하고 쓰지는 않았는가?

이제 자기가 쓴 시를 면밀히 검토해 보자.

초보자는 초보자에 맞게 자작시를 점검하고, 그 단계를 넘어 갔으면, 숙련자의 자작시 점검법을 적용해 볼 필요가 있다. 물론 위와 같은 기준이 보편타당한 것은 아니다. 스스로의 작품에서 어떤 약점이 자주 노출된다면, 거기에 맞추어 자기만의 점검법을 만들어 보는 것도 좋다.

그러나 날마다 새로 쓴 시를 앞에서처럼 엄격한 기준을 놓고, 분석을 한다면, 남아나는 작품이 별로 없다. 모든 시인은 시 쓰기에 실패한다. 좋은 시인은 더 많이 실패를 해본 자이고, 그렇지 않는 시인은 써보지도 않고 머릿속으로만 시를 쓰는 자이거나 아무런 대책도 없이 무작정 시를 쓴다.

어제까지의 방법에 대해 회의하라. 그러나 실패를 두려워 말라. 시는 표현이다. 접촉 없이 사랑의 마음을 전달할 수 없고, 사랑을 하면서 사랑을 알아가듯이 시 쓰기도 그와 같다. 그 누구도 실패를 피할 방법을 알지 못한다. 다만 지혜로운 자는 실패를 최소화 할 수 있는 방법을 찾는다.

그리고 자기가 쓴 모든 시를 완성하려고 하지 말자. 좋은 시인과 그렇지 않는 시인의 차이는 여기에 있다. 좋은 시인은 많은 작품 중에서 그나마 나은 것을 발표하고, 그렇지 않는 시인은 착상한 모든 시를 완성하려 한다.

가르치는 시

오랫동안 시를 쓴 사람 중에는 다음과 같은 경우가 있다. 시를 쓰기는 많이 썼는데, 마땅히 내놓을만한 작품이 없다. 본인은 의욕적으로 썼고, 의미 있는 작품이라 생각하고, 널리 읽혀야 한다고 여기는데, 다른 사람의 평가가 그에 미치지 못한다. 문장의 결함도 없고, 오랜 습작을 통해 본인의 작품이 이미 일정 수준에 올랐다고 생각을 하지만 재미가 없다. 이들 작품의 문제점 중의 하나는 가르치는 시, 설교조에 있다.

몇 십 년 동안 시를 써왔으므로, 본인의 작품도 독자들이 암송하였으면 좋겠다는 욕망이 그러한 시를 낳는다. 예를 들

면 푸쉬킨의

　삶이 그대를 속일지라도 슬퍼하거나 노여워 말라

　같은 구절이나, 윤동주의

　죽는 날까지 하늘을 우러러 한 점 부끄럼이 없기를

　과 같은 구절을 써서 많은 사람들의 입에 오르내렸으면
하는 바람을 가지고 시를 쓰다 보니, 그다지 의미는 없는
데, 자기에게는 절실한 어떤 구절을 만들어낸다. 다음 작
품을 보자.

　1) 아이스크림을 먹는 아이가
　껍질을 휙 바닥에 던지고 간다
　부끄러움을 모르는 부도덕은 달콤하다
　진정한 공부는 책 속에 있지 않다
　쓰레기보다 더
　더러운 마음을 집어 휴지통에 넣는다

　죽어버린 도덕은 부활하지 않는다

위 시의 내용은 이렇다. 시의 내용을 바탕으로 어떻게 시상을 가다듬었을지 유추해 보자.

　길에서 아이스크림을 먹고 있는 한 아이를 보았다. 아이가 아이스크림 봉지를 바닥에 던졌다. 아이스크림 봉지가 바람에 날렸다. 날리는 아이스크림 봉지가 마치 버려진 양심 같다. 아이는 부끄러움을 모르는 것 같다. 아이스크림의 단맛에만 빠져 있는 것 같다. 상당수의 사람들은 부도덕한 것을 달콤하다고 생각한다. 예를 들면 불륜의 사랑, 술에 취하는 것 등은 도덕이 아니지만 달콤하니까 빠져들지 않겠는가. 아이가 아이스크림을 먹는 것은 달콤한 것을 취한 것이지만, 함부로 봉지를 버리는 행위는 부도덕하다. 아이는 학교를 다니지만, 국어·영어·수학 같은 교과서 공부를 하였을 뿐, 공중도덕에 대한 공부는 안 되었다. 그러므로 진정한 공부인 도덕성을 높이는 교육이 없다. 진정한 공부는 선인들의 말씀에 들어 있는데, 그 말씀들이 학교 공부에는 없고 쓰레기 취급을 받고 있다. 나는 아이가 버린 쓰레기를 주워 휴지통에 넣는다. 쓰레기를 버리면서 도덕의 죽음을 생각한다. 도덕의 시대가 오기 어렵다고 느낀다.

시인은 이런 생각을 작품으로 쓰려 했다. 그런데 이 작품은 가르치려 했다는 게 문제이다. 시적 화자, 즉 퍼스나의 발언은 하나의 인격체가 하는 말과 같다. 그런데 위 시의 시적 화자는 훈계하고 있다. 교훈적인 이야기는 대부분의 사람들이 지겨워하고, 그런 가르침은 얼마든지 있다. 시는 문학작품이며, 문학은 어떤 교훈을 말하더라도 흥미롭게 해야 한다. 빤한 가르침을 똑같이 반복하는 것은 문학이 아니다.

다른 예를 더 들어보자.

2) 세상이 변해서인지
역전 한쪽에 누워있는 노숙인을 보고
어린아이 하나가
더럽다고 말을 한다
그 옆의 아이 엄마인 듯한 여자는
저렇게 살 바에는 그냥 죽는 게 낫다고
너도 공부 안 하면 커서 저런 사람이 된다고
낮고 단호한 목소리를
아이의 귀에 박는다
아이의 귀에 못이 박혔을 그 말이

노숙인보다 더럽게 보인다

아무리 컴퓨터가 판치는 세상이라 해도

사람의 도리가 사라진 곳에서는

미래가 캄캄하다

— 「노숙인을 보고」

3) 강이 굽어지는 것은 자기 길을 포기한 것이 아니다

강은 구부러지며 남의 길을 헤치지 않는다

구부러지며 완전해지는 강을 보아라

휘어질 때마다 튀는 물방울처럼 강은 웃고

강이 마냥 직선으로 달리지 못한 것은

길을 돌아가고자 함이 아니라

여기저기서 부르는 소리에 응답하느라 그런 것이다

하류에 다다른 어머니의 강은 말이 없다

— 「어머니의 강은 말이 없다」

이 작품도 가르치려 했다. 시를 오래 써온 사람도 이런 실

수를 범한다. 할 말이 많아서이기도 하고, 누군가에게 도움을 주고 싶어서 그러한 것이겠지만, 시에서 그런 가르침은 금기에 가깝다. 특히 나이 들어 습작을 하는 분들이 가장 경계해야 할 것이 이 점이다.

 사람들은 충고나 조언을 하는 건 좋아하지만, 충고나 조언을 듣고 싶어 하지 않는다. 그리고 대부분의 충고나 조언은 어떤 편견에 의한 것이고, 보편타당한 것이 아니다. 그런데도 무언가를 가르치려 한다는 것은 자기 과시욕에 불과하다. 즉 설명하거나 가르치려는 내용은 대부분 책에서 볼 수 있고, 생각이 조금만 깊은 사람이라면 금방 알 수 있다. 그래서 어떤 가르침도 시에서는 의미가 없다.
 또 어떤 책에서 본 내용을 가지고, 그 내용을 그대로 전달하려는 목적을 가진 시도 이와 유사하다. 철학이나 종교 서적에서 본 것을 시에 그대로 노출시켰을 때, 어떤 의미가 있을까? 독자는 꾸중을 들어야 하는 아이가 되어야 한다. 그래서 아무리 의미가 있는 이야기라고 하더라도 책에서 본 내용을 직접 전달하는 방식을 취해서는 안 된다. 오히려 시는 남들이 다 옳다고 하는 말을 뒤집어서 보거나, 전혀 다른 생각으로 독자에게 충격을 주어야 한다. 즉 시는 마땅한 어떤 말을 하는 것이 아니라, 마땅한 것만이 의미 있다는 것을 부정해야 한다.

2)의 작품 「노숙인을 보고」를 보자. 이 작품에는 노숙인을 보는 어떤 여자가 자신의 아이에게 훈계하는 장면이 나오고, 그 여자의 훈계를 잘못되었다고 보고 있는 화자가 나온다. 이 시에 화자가 직접 등장하지는 않지만, 화자는 그 여자의 훈계를 비판적으로 보고 있으며, 여자의 편견이 아이에게 주입되고 있는 장면을 보면서 미래에 대한 걱정까지 하고 있다. 가르치는 시의 전형적인 모습이다.

이 작품에서는 그 여자의 편견과 화자의 편견이 동시에 문제가 된다. 시인은 그 여자의 편견만 문제가 있다고 인식하였는지는 몰라도, 또 다른 편견을 독자에게 강요하고 있다. 이런 작품을 대하면, 독자는 화자의 말에 동감하기보다는 화자의 잔소리에서 빨리 벗어나고 싶을 것이다. 이 작품을 아무리 보아도 문학적 감동을 줄 요소가 없기 때문이다. 이 작품은 주제를 찾기 쉽고, 주제 의식도 분명하다. 그러나 그런 주제의식이 분명한 글을 읽으려면 문학 작품이 아니라, 철학이나 종교 서적을 보는 게 낫다. 독자가 문학 작품을 접할 때는 훈계를 듣거나 설명을 보려는 게 아니다. 문학은 재미있어야 하며, 감동을 주어야 한다. 문학적 유익함은 시인이 옳은 이야기를 하는데서 얻어지지 않는다. 문학 작품에서는 그 무언가를 어떤 방식으로 보여주고 있는지, 어떻게 독자의 공감을 이끌었는지가 더 중요하다.

3)의 작품은 문학적 이유달기를 나름대로 성공한 것처럼 보인다. '강이 느리게 흐르는 것은 많은 것들의 부름에 응답하기 위해서'라는 이유도 그럴 듯하다. 그러나 너무 논리적인 근거를 대기에 바빠서 감동을 주지 못하고, 어떤 아름다운 이미지도 떠오르지 않는다. 그냥 설명만 해 놓았다. 더군다나 마지막 줄에 가서 '어머니의 강'이라는 관습적 비유를 해 놓고, 어머니의 강이 침묵한 것도 '무언가를 듣기 위해서'라고 했다. 만약 그 말을 개성적인 표현으로 했다면, 조금은 읽을거리가 되었을지 모른다. 그렇지만 '어머니의 강'이라는 표현이 이미 상투적이다. 수준 높은 독자라면 이런 글을 읽지 않는다. 그만큼 설명이나 훈계는 재미가 없다.

4)가장 낮은 신발을 받들면서도
섬돌은 말이 없습니다
아무리 더러움이 올려져도

섬돌은 더러움에 물들지 않습니다

진흙발이 놓여도

고무신이 놓여도

섬돌은 정성을 다합니다

섬돌이 항상 빛나고

항상 깨끗한 것은

모든 것을 받드는 그 마음 때문입니다

살면서 때론 섬돌처럼 외롭더라도

온갖 더러운 일만 생기더라도

묵묵히

저 섬돌처럼 살고 싶습니다

—「섬돌처럼」

5)꽃들에게는 계급이 없다

꽃들은

돈으로

재산으로

권력으로

다른 꽃을 제압하지 않는다

— 「꽃들에겐 계급이 없다」

습작시 4)와 5)은 내용상 큰 문제가 없다. 어떤 독자는 위와 같은 작품을 읽고 감동을 할 수도 있다. 이 작품들에는 감동할 만한 요소가 있다. 4)「섬돌처럼」의 경우에는 묵묵히 신발을 받들고 있는 '섬돌'에서 누군가를 모시고, 누군가를 떠받들고 사는 희생적인 삶의 아름다움을 느낄 수 있다. 그래서 섬돌처럼 살겠다는 다짐이 경건해 보인다. 그러나 문학적으로는 수준이 낮다. 문제는 너무 교훈적인 내용을 가르치려한 데서 그쳤기 때문이다.

습작시 5)「꽃들에겐 계급이 없다」의 경우도 마찬가지이다. 계급이 없는 꽃들의 세계를 통해, 계급으로 나누고 구분하는 인간 세계를 풍자하고 있다. 그렇지만 너무 교훈적인 데서 그쳤다. 그래서 교훈적이며 철학적인 의미는 있을지 몰라도 문학적으로는 좋은 작품이라고 말하기 어렵다.

잘못된 만남

1) 새싹이 파릇파릇 돋아났다

하얗게 별처럼 돋아있는 봄맞이풀꽃

제비꽃

양지꽃 들이

빵긋빵긋 웃으며

인사를 한다

어린아이의 눈웃음 같은 꽃들

너무 예뻐서 그들 곁으로 가까이 갔다

봄이 환하다

꽃밥을 먹고 싶다

봄을 다 먹고 나도 봄이 되어야겠다

— 「봄을 먹다」

2)코뚜레를 처음 만나던 날
소는 피를 흘렸다
너무 괴로워 눈물을 흘렸다
그러나 소는 코뚜레를 받아들였다
소의 코는 코뚜레에 익숙해지고
코뚜레도 소의 코를 알아갔다
소는 더 피를 흘리지 않고
혀로 코뚜레를 애무한다
코뚜레는 소의 숨결에
더욱 단단해진다
코뚜레는 어느 순간도
소를 벗어나지 않는다
지독한 반려자다
이윽고 함께 한 시간이 지나고
소가 죽을 때
코뚜레는 볼품없는
나무토막이 된다
소가 죽으면 코뚜레도 죽는다

— 「동행」

3)봄 조개가 맛있는 것은

알을 품고 있기 때문이다

이른 봄부터 부지런한 조개는

온갖 영양분을 몸속에 쌓는다

아무리 게을렀던 조개도

봄이 되면 부지런해진다

가장 건강한 몸으로

속이 탱탱해진 조갯살을 보라

세상의 모든 어미들은

새끼들을 먹이기 위해

가장 강해진다

밀물 썰물 몰아치는 개펄에서

겉이 더욱 단단해지는 조개껍질

물길 따라 달려든 돌멩이 같은 것도

어미 조개의 의지를 깨뜨릴 수 없다

겉은 강하고

속은 부드러운 조개는

가장 순한 제 안에

새끼들을 품는다

세상의 모든 어미들은 부지런하다

어미라는 직업만큼

바쁜 직업은 없다

　　　　　　　　—「세상의 모든 어미는 부지런하다」

4)아버지는 평생 일만 했다

아홉 자식 뒤 봐주느라

고단했던 희생

숭고한 아버지의 노동을 딛고

우리들은 자랐다

둥지의 새 새끼처럼

빈 주둥이만 내밀었던 새끼들

아버지는 똥지게지고 언덕을 오르고

연탄 리어커 바퀴에 한숨을 감았다

산 14번지 언덕에는

아버지의 연탄 리어커가 그려놓은 묵화가

그려지곤 하였다

새가 되어 날아간 자식들

아버지는 바보 같이

빨간 수박 살은 자식들 입에 다 넣어주고

하얀 수박 속으로 박나물을 무쳐 먹으며

참 담백하다고

가장 좋은 음식은 심심한 것이라고

맹탕 같이 웃으며

말하곤 하였다

아버지 돌아가신 후

자식들 모여

아버지 나물 한 번 먹어보자고

수박 흰 속을 잘라내어

아버지 나물을 무친다

없는 아버지처럼

심심한 나물

목 매인

아버지를 먹는다

— 「아버지 나물」

5)자전거를 타고 강으로 간다

자전거 바퀴는 차르르 차르르

추억을 감는다

어떤 그리움은 사무치지 않고

자전거 바퀴처럼 풀어진다

몸이 무겁다

자전거를 타고 가면서

무거웠던 몸을 조금씩 부린다

자전거는 가볍고 몸은 무겁다

내 몸이 무거운 것은

그리움의 질량 때문이다
코스모스가 피어 있다
색색의 꽃잎마다
옛날이 숨어 있다
강가에는
그리움이 먼저 도착해 있었다

— 「그리움은 자전거를 타고 온다」

　시 창작 교실이나 백일장 현장에서 흔히 만날 수 있는 유형의 작품들이다. 이 중 어떤 작품을 시라고 할 수 있을까? 아니 어떤 작품이 가장 시적일까? 이 중 어떤 작품은 가능성이 아예 없으며, 어떤 작품은 부분적인 착상을 살려 시 작품으로 살려 쓸 가능성이 있다. 어떤 작품이 더 좋은가에 대한 문제는 완벽한 작품 중에서 취향에 따라 선택하는 문제가 아니라, 어느 작품이 더 가능성이 있고, 어떤 작품이 허점이 덜한가의 문제로 귀결될 수 있다. 만약에 당신이 백일장 심사위원으로 참여하고 있는데, 이런 작품들이 제출되었다고 한다면 어떤 작품을 뽑을 것인가? 그러한 판단을 하게 된 근거는 무엇인가?

　다섯 작품 중 하나를 골랐다면,

왜 그 작품이 더 낫다고 할 수 있는가?

대답하라!

그러한 질문에 대해 분명한 대답을 할 수 없다면, 당신은 막연한 당신의 감각으로 다른 사람의 애씀을 함부로 재단한 것이 된다. 그래서 우리는 시 쓰기 공부를 통해 이런 판단에 대해 명확한 근거를 제시할 수 있는 힘을 기른다. 먼저 위의 작품 중 한 편을 고르고, 그것을 뽑을 수밖에 없었던 이유를 심사평으로 작성해보자.

〈심사평〉

1) 선정 이유 :

2) 다른 작품을 탈락시킨 이유 :

위의 다섯 작품은 완성도가 떨어지는 작품들이다. 따라서 어느 한 작품을 뽑았다면, 그것은 심사위원이 어떤 점을 더 높이 샀느냐의 문제이지, 절대적으로 어느 한 작품이 더 뛰어났기 때문이라고 말하기는 어렵다. 문학 작품의 우열을 가리는 것에는 정확한 잣대가 없으며, 다소 심사자의 주관이 들어갈 수밖에 없다. 예를 들어 은유의 참신성을 중요하게 여기는 심사자가 있고, 작품 자체의 완성도를 우선으로 두는 사람이 있다. 또한 생활에 밀접한 리얼리티를 시의 필수요소라고 여기는 시인이 있고, 새로운 어법을 창출하는 것을 의미 있다고 보는 경우도 있다.

그렇다고 시 작품의 수준을 가늠할 수 없다는 것은 아니다. 철저한 작품 분석을 통해 한 작품이 지닌 가치와 문제점은 명확히 드러난다. 이때 기준이 되는 것은 당연히 '문학성'이며, 문학성은 문학적 수사나 기교를 바탕으로 한 어떤 감동에 관한 것이다. 즉 좋은 문학 작품은 문학적 수사가 탁월해야 하고, 문학적 기교에 문제가 없어야 한다. 또한 문장에 결함이 없어야 하며, 작품의 구성이나 문체에서 개성이 드러나야 한다. 그리고 내용과 어법, 혹은 시상 전개 방식이 새로운가? 흠결을 잡을 만한 결함은 없는가? 등의 문제를 따진다.

심사자의 취향은 그 다음이다.

그러나 수준급 시인이 아니라면, 위의 요소를 골고루 갖춘 작품을 쓰기는 힘들다. 특히 습작기의 작품은 서툰 경우가 많다. 그래서 습작생은 결함을 줄이고, 새로움을 도출해야 하는 이중 과제를 부여안을 수밖에 없다. 이는 습작기에만 해당 되는 게 아니라, 기존 시인에게도 똑 같이 적용된다.

따라서 시를 분석할 때 가장 기본이 되는 것은 크게 두 가지이다.

결함이 없는가?
새로운가?

이를 바탕으로 위의 다섯 작품을 분석해 보자.

1)「봄을 먹다」는 의인화 된 대상을 음식으로 대했다는 점이 문제이다. 어떤 사물이든 의인화가 된 상태에서는 그 사물 자체가 아니라, 그 사물의 이름을 한 사람이 된다. 그래서 이 시를 읽은 독자는 '사람을 먹는다고?'라는 의문을 품을 수밖

에 없다. 따라서 이 작품은 1연과 2연을 한 편의 시에 쓰기에는 무리가 따른다. 차라리 2연을 삭제한다면, 소품은 될 것이다.

2)「동행」은 소와 코뚜레의 관계에 문제가 있다. 마지막 구절에서 '소가 죽으면 코뚜레도 죽는다'라고 진술하여 약간의 감동도 있다. 그러나 관계 설정의 한계 때문에 좋은 작품이 될 수는 없다.

어떤 상황에서도 '코뚜레'는 소를 순종시키기 위해 '인간'이 외부에서 가한 폭력이다. 따라서 이 둘(코뚜레와 소)의 관계는 외부에서 가한 폭력으로 인해 맺어진 것이며, 소에게 코뚜레는 평생 동안 외부의 폭력이 가해지는 수단이다. 따라서 이러한 관계상의 한계 때문에 그 둘의 사이는 아무리 미화해도 어색할 수밖에 없다. 그러므로 비유를 하더라도 이와 유사한 관계로 설정하면, 시상 전개에 한계가 따른다. 예를 들어 목련과 능소화, 염소와 고삐 등의 관계는 서로가 평등하거나 수평적이지 않다. 어느 한 쪽의 폭력성을 바탕으로 한 관계를 말하고자 한 것이 아니라면, 불평등한 관계 설정은 시 작품의 의미에도 그대로 반영된다.

3) 「세상의 모든 어미는 부지런하다」는 섣부른 일반화가 문제이다. '세상의 모든 어미는 부지런한가?'라는 질문을 던졌을 때, 우리는 얼마든지 부지런하지 않는 어미들을 떠올릴 수 있다. 예를 들어 뻐꾸기는 자기 알을 부화하지 않는다. 뻐꾸기만 보아도 이 말이 거짓이라는 것을 알 수 있다. 또한 시의 첫 줄에 '봄 조개가 맛있는 것'이라고, 조개를 음식으로 만들어 놓고, 시의 말미에서는 그 조개를 세상 모든 '어미'로 일반화 했다. 음식이라면 음식으로만 취급해야 하는데, 음식을 숭고한 어머니로 만들었으니, 모순이 아닐 수 없다. 물론 이 작품이 '우리는 항상 어미를 파먹고 산다'라는 우주 순환론을 담고 있었다면, 평가는 달라질 수 있다.

4) 「아버지 나물」은 욕심이 과한 작품이다. 최소한 이 작품은 1~13행까지를 한 편으로 하고, 14~29행을 다른 작품으로 했어야 한다. 그런데 아버지에 대해 떠오른 것들을 아무 생각 없이 한 작품에 구겨 넣다보니, 이것도 저것도 아닌 시가 되어 버렸다. 어떤 대상에 대해 작품을 쓸 때는 '하나의 사건, 하나의 소재, 하나의 속성, 하나의 주제'에 합당한가를 따져야 한다.

시는 음식과 같다. 순두부찌개라면, 순두부가 주로 들어가야 하고, 김치찌개라면 김치가 주가 되어야 한다. 여러 가지의 재료가 들어가는 경우에도 그 전체를 아우를 수 있는 '하나의 틀'이 있어야 한다. 그런데 위 작품은 아무런 기준이나 틀이 없이 이것저것을 마구잡이로 집어넣은 잡탕 같다.

전체가 조화를 이루지 못했다면, 일정한 틀을 정해 나누어야 한다. 4)「아버지 나물」의 경우에는 기본적으로 두 작품으로 쪼개야 한다. 이를 두 편의 시로 나눈다면, 14행부터 29행까지는 한 편의 시가 된다.

그럼에도 불구하고 하나의 의문이 남는다. 이 작품의 마지막 구절, '목 매인 / 아버지를 먹는다'라는 구절도 대상을 의인화했기 때문에 문제가 있는 것이 아닌가? 그러나 이 작품의 마지막 구절은 앞에서 예를 든 1)「봄을 먹다」, 3)「세상의 모든 어미는 부지런하다」의 경우와 다르다.

먼저 앞의 작품들과 다른 것은, 4)「아버지 나물」에 나오는 아버지는 이미 죽은 사람이라는 점이다. 죽은 사람에게는 육체가 없다. 그러므로 죽은 사람을 먹는다는 것은 이미 다른 사물로 변했거나, 흙이 되어버린 사람을 먹는다는 의미이기 때문에 자연스럽게 우주적 순환이 된다.

또 하나 '아버지를 먹는다'는 말에 앞서 '아버지가 자주 드

셨던 나물' '없는 아버지처럼 심심한 나물'이라는 구절이 일종의 계단 역할을 하였기 때문에 '아버지를 먹는다'라는 대목에서 부담이 덜하다. 더구나 '없는 아버지처럼'이라는 비유에서 아버지의 부재가 확실해졌기 때문에 마지막 구절의 '아버지'는 육체성보다는 그에 대한 추억이나 그의 향기 같은 의미를 지닌다.

따라서 이 작품의 경우에는 앞의 1)이나 3)의 작품과 달리, 마지막 구절 '목매인 / 아버지를 먹는다'라는 것은, '먹는 것은 나물이지만, 실은 아버지의 육체를 먹는 것 아닌가?'라는 환기를 불러일으키면서 오히려 감동을 준다.

5)「그리움은 자전거를 타고 온다」의 경우에는 화자가 강을 향해 이동하고 있다. 한 줄씩 읽으면, 상당한 시적 수련을 하였다는 것을 느낄 수 있다. 특히 관념을 사물화 하는 데는 성공 하였다.

그런데 시상의 전개가 자연스럽지 못하다. 난삽하다. 자세히 읽으면, 화자의 생각이 정리되어 있지 않고, 순간순간 떠오른 단상을 열거하였음을 알 수 있다.

먼저 '자전거 바퀴는 차르르 차르르 / 추억을 감는다'고 하였는데, '어떤 그리움은 사무치지 않고 / 자전거 바퀴처럼 풀어진다'라고 하였다. 여기에서 의문이 든다. 어떤 근거로 '추억은 감기고' 또 어떤 근거로 '그리움은 풀어질까?' 합당한 이유가 없다. 그냥 화자가 그렇게 생각했을 뿐이다. 그리고 추억이 감긴다고 했으면, 당연히 그리움도 감겨야 하지 않을까? 짧은 시에서 이미지의 충돌이 일어났다. 이렇게 충돌하는 이미지가 하나의 작품 속에 있으면, 불편한 동거가 된다. 의도적이 아니라면, 충돌하는 이미지의 사용은 지양되어야 한다.

그리고 '무거웠던 몸을 조금씩 부렸는데, 그 다음 줄에서 '자전거는 가볍고 몸은 무겁다'라고 했다. 무거운 몸을 부린 상태라면 당연하게 몸이 더 가벼워져 있어야 한다. 따라서 이 부분도 모순이다.

그래 놓고, 이어지는 구절은 더욱 가관이다. '내 몸이 무거운 것은 / 그리움의 질량 때문이다'라니! 이 진술은 앞의 내용을 모두 부정해 버렸다. 3행과 4행에서 '그리움은 사무치지 않고,' '풀어진다'라고 하지 않았는가? 그리움은 그렇게 풀어진 것이었는데, 왜 갑자기 내 몸의 질량을 가중시키는 역할을 한다는 말인가? 만약 '내 몸이 무거운 것은 그리움의 질량 때문이다'라는 표현을 하려면, 선행 구절에서 '바람 따

라 그리움이 감긴다. 내 몸에 든 그리움은 빠져 나가지 않는
다'라는 정도의 장치가 있어야 한다. 그런데 없다. 따라서 이
습작시는 행과 행이 모순 관계에 놓여 있다. 그래서 이미지
의 충돌이 많고, 의미의 대립도 심하다.

그 밖의 구절도 비슷한 이유로 문제가 된다. 아무런 전제
없이 '꽃잎마다 / 옛날이 숨어 있다'라는 진술이나, '강가에는
/ 그리움이 먼저 도착해 있었다'라는 구절이 나오는데, 난데
없다. 왜 그렇다는 것인가? 독자를 설득하기 어렵다.

이 작품의 난삽함은, 작품 속 그리움의 속성만 따져 보아
도 드러난다.
'어떤 그리움은 사무치지 않는다. 어떤 그리움은 자전거 바
퀴처럼 풀어진다. 내 몸이 무거운 것은 그리움의 질량 때문
이다. 강가에는 그리움이 먼저 도착해 있었다'를 살펴보면,
각 문장에 기술한 그리움에 일관성이 없다.
그리고 '그리움'을 어떤 것에 은유했는지도 알 수 없다. 그
리움을 사물화 하려는 시도는 좋으나, 그 그리움이 너무 막
연하고, 일관성이 없고, 작위적이다. 만약 그리움을 고무줄
같다거나 엿 같다거나 어떤 특정 사물에 비유했다면, 독자가

납득할 수 있었을 것이다. 그런데 이 작품을 쓴 이는 그리움을 사물화 하려고 시도만 하였지, 그리움을 그 어떤 특정 사물로 만드는 데는 실패하였다. 그래서 이 시에 나오는 '그리움'에서는 어떤 것도 연상할 수 없다.

　종합해서 말하자면, 이 습작시는 그저 시인의 머릿속에 잠시 떠오른 생각들을 아무런 체계 없이 토해 놓았다.

8강

관습적 비유

●

　우리는 흔히 길가에 쓰레기를 버리는 사람을 보면서 양심
이 없는 사람이라고 생각 한다. 사람들이 쓰레기를 자주 버
리는 전봇대 밑에 세워진 '당신의 양심을 버리시겠습니까?'
라는 문구에 익숙해졌기 때문인지는 몰라도, 어느새 '쓰레기
는 양심'이라는 도식이 일반화 되었다. 즉 '양심'이 '쓰레기'
의 은유로 널리 쓰이고 있다. 이런 은유는 우리의 생활 깊숙
이 자리 잡고 있어서 낯설지 않다. '쏜살같은 세월' '안개 속
같은 인생길' '여자는 갈대 같다' 등도 좋은 비유이다. 그런데
어떤 것이 문제가 되는가. 관습적 비유나 상징의 습관적 사
용이 문제이다. 관습적 비유는 비유 자체가 잘못된 것이 아

니라, 고정관념을 고착화하기 때문에 아무런 시적 충격이 없다. 이렇게 새롭지 않고 신선한 자극을 주지 못하는 말은 죽은 시어이다. 시는 궁극적으로 언어를 살리는 목적을 가지고 있기에 고착화 되어가는 언어라도 흔들어 깨워야 한다. 그런데 몸이 굳어가는 언어에 고착제를 첨가한다면 어떠하겠는가? 그것은 시의 목적을 상실한 것이다.

1)전봇대 밑에 또 누가 쓰레기 더미를 버려 놓았다
버려진 양심은 썩어가면서 악취를 풍긴다
썩어버린 양심은 재활용 할 수도 없다

—「뒷골목 풍경」

「뒷골목 풍경」에서는 '쓰레기는 버려진 양심이다'는 말이 도식화 되어 쓰였다. 즉 버려진 쓰레기와 버려진 양심을 동일시하였다. 기본적으로 은유적 사고를 한 것이지만, 이런 표현이 마땅할까? 그렇지 않다. 쓰레기는 쓰레기이지, 쓰레기가 무조건 버려진 양심일 수 없다. 물론 '쓰레기를 버리는 행위는 양심을 버리는 행위입니다'라는 경고 문구는 가능하다. 그렇다고 해서 쓰레기가 곧 양심이 되는 것은 아니다. 설령 쓰레기는 양심이라는 은유가 널리 쓰이고 있다하여도, 시에 관습적 표현 방식을 그대로 쓴 것이기 때문에 개성이 없다. 이와 유사한 예로 '비둘기는 평화'라는 도식이 있다. 비둘기는 관습적 상징에서 '평화'로 해석하는 경우가 많다고 해서, 비둘기가 무조건 평화를 의미하는 것은 아니다. 만약 그렇게 이해한다면, 비둘기를 평화 속에 가두게 된다. 비둘기는 평화로 비유되기 이전에는 오직 비둘기였다. 인간이 비둘기를 평화의 상징으로 묶었을 뿐이다. 많은 사람이 비둘기를 평화로 인식하고 있다고 해서 새로운 시인이 그것을 공식으로 받아들여서는 안 된다. 이는 자유로운 비둘기를 평화라는 관념에 묶어두는 것이기 때문에 시 정신에도 어긋난다. 어떤 말이나 어떤 대상도 그것 자체로 존재하는데 의미가 있고, 가치가 있다. 비둘기는 오직 비둘기다.

의외로 이런 고착화된 인식을 바탕으로 시를 쓰는 경우가 많다. 예를 들어 어떤 습작생이 다음과 같은 작품을 썼다고 하자.

2)자국의 군인들이
자국의 국민을 향해 발포를 하였던
1980년 5월부터

광주에서는 더 이상 비둘기가 살지 않는다

비둘기들은 모두 광주를 떠났고
남은 비둘기들은
머리에서 피를 흘리며
죽어갔다

평화를 죽인 저들의 탄환이
식기도 전에
극락강은 온통 피로 물들었고
하늘을 날던 비둘기는
한 마리도 남지 않게 되었다

— 「광주에는 비둘기가 살지 않는다」

시를 독해할 때 하나도 도움이 되지 않는 것 하나가 관습적
상징이다. 우리는 시를 볼 때, '비둘기는 평화를 상징하고,
사자는 백수의 왕이다' 따위의 쓸데없는 지식으로 무장할 필
요가 없다. 시어로 쓰이는 어떤 사물이나 단어는 오직 그 시
에서 새롭게 탄생한다. 즉 어떤 시어에 대해 알고 있는 고정
관념을 버리고 시를 대해야 한다. 아무리 유명한 시인이, 아
무리 뛰어난 철학자가 한 사물에 대해 상징성을 부여했다고

하더라도 거기에 끌려가서는 안 된다.

위의 「광주에는 비둘기가 살지 않는다」에서는 '비둘기는 평화다'라는 사고방식이 깔려 있다. 이것이 문제이다. 아무리 다른 사람이 비둘기를 평화라 불러도 시인은 비둘기를 비둘기로만 여겨야 한다. 그리고 비둘기에게 새 이름을 붙여 주는 자가 시인이다. '비둘기를 평화다'라는 말은 관습적 상징이고, 비둘기의 의미를 제한하여 왜곡시켰기 때문에 '비둘기'와 '평화'를 동시에 오염시켰다. 시인은 비둘기를 평화의 굴레에서 벗어나게 해야 한다. 오염된 비둘기를 깨끗이 씻어 하늘도 돌려보내야 한다. 그런데 이 작품은 '비둘기는 평화다'라는 인식에서 출발하였으므로 오염된 언어로 새로운 시를 쓰겠다고 나선 것과 같다.

시의 내용을 분석해 보자. 우리가 시를 해석할 때는 비둘기는 비둘기로 읽고, 평화는 평화로 읽는다. 그래서 이 작품에 나온 비둘기는 어떤 상징어이기 이전에 1차적으로는 오직 비둘기로 해석해야 한다.

그렇다면 실제로 1980년 5월부터 광주에는 비둘기가 사라졌을까? 그렇지 않다. 따라서 이 작품은 고착화된 상징을 강요하기 위해 거짓말을 하고 있다. 물론 위의 작품에서의 비둘기는 평화 혹은 평화와 자유를 지키려는 사람들을 상징하고 있다. 또한 이 작품에서 극락강은 광주라는 지역이나 지역민을 뜻한다는 것을 짐작할 수 있다. 그러나 이렇게 관습화 되고 의미가 굳어진 상징은 죽은 시를 낳는다. 죽은 상징으로 살아있는 시를 쓰는 것은 불가능하다. 거기다가 위의 작품은 기본적으로 사실에 대한 이해가 없다. 상징은 수학공식이 아니고, 암호도 아니다. A는 B이며, C이며, D이라고 아무리 우겨도 그런 도식은 쓸모가 없고, 죽은 구호에 불과하다.

비슷한 예는 또 있다. 특히 꽃말을 외우고 나서 그 꽃의 꽃말을 바탕으로 작품을 쓰는 경우가 많다.
즉,

'그녀는 내게 네잎클로버다'
라는 문장을 '그녀는 내게 행운이다'라는 말로 이해를 하거나,

'그녀는 내게 노랑 장미를 주었다'
라는 문장을 '그녀가 질투하고 있다'는 의미로 해석을 하는 것 등이다.

3)몸살처럼 비가 내리던 날

까치가 오지 않고 까마귀 떼가 찾아 왔다

당신은 내게 네잎클로버를 찾아달라고 하였다

풀밭을 뒤져도 찾을 수 없는 네잎클로버

나는 국화꽃을 주겠다고

노란 꽃잎을 주겠다고

천둥과 한숨과 서릿발을 이긴

국화를 주겠다고 말했다

당신은 국화 대신

노란 장미를 달라고 했다

노란 장미가 없어서 나는

노란 손수건을 내밀었다

내가 준 손수건에 당신은 코를 풀었다

당신의 주머니에 꽂힌 손수건이

노란 장미처럼 보였다

— 「비 오는 날의 노란 장미」

「비 오는 날의 노란 장미」의 경우는 어떻게 해석해야 할까?
까치는 반가운 손님, 까마귀는 불길한 기운, 네잎클로버는
행운, 국화는 지조, 노란 장미는 이별, 손수건은 이별을 상

징하는 경우가 있으므로 그것을 도식적으로 적용해서 해석해야 할까? 그렇게 한다면 다음과 같은 의미로 풀이할 수 있다.

4)몸살처럼 비가 내리던 날 반가운 손님은 오지 않고, 불길한 기운이 왔다 당신은 내게 행운을 찾아달라고 하였다 풀밭을 뒤져도 찾을 수 없는 행운 나는 지조를 주겠다고 지조의 꽃을 주겠다고 천둥과 한숨과 서릿발을 이긴 지조를 주겠다고 말했다 당신은 지조 대신 이별을 달라고 했다 나는 이별의 꽃이 없어서 이별의 꽃을 내밀었다 내가 준 이별의 손수건에 당신은 코를 풀었다 당신의 주머니에 꽂힌 이별의 손수건이 이별의 꽃처럼 보였다

— 「당신은 이별을 접어서 주머니에 넣었다」

그런데 과연 시의 내용이 이러한 것이었을까? 만약 온갖 것의 꽃말이나 상징을 가져다 짜깁기 하는 것이 시일까?

그렇지 않다. 3)의 시를 4)의 의미로 해석하는 것은 시에 대한 병적인 오해를 하고 있는 경우이고, 만약 3)의 작품을 쓴 이가 4)의 경우처럼 해석하기를 바라고 시를 썼다면, 그 사람은 시에 대해 단단히 오해를 하고 있다.

다시 말하면 3)의 시를 쓴 이나 4)와 같이 해석을 한 이는 시적 대상에게 감옥을 선물하는 것이지, 문학적인 상징이나 은유를 이해했다고 할 수가 없다.

모든 시어는 시 자체의 내적 연관성 속에서 해석되어야 한다. 기본적인 해석을 하기 전에 작품을 쓴 시인과 과도하게 연결하여 의미 해석을 하는 것도 위험하다. 작품 외의 모든 정보는 독해를 깊이 있게 하기 위한 수단이지, 어떤 시이든 별도의 정보를 대입해서 거기에 짜 맞춰 해석하는 게 아니다.

즉 문학 작품에서는 '그녀는 내게 노랑 장미를 주었다'라는 문장을 해석할 때, 노랑 장미의 꽃말을 가지고 시적 의미를 독해하는 방식을 취하지는 않는다. 문학작품은 작품 자체에 의미를 둔다. 장미는 장미일 뿐이고, 그것이 다른 의미로 해석이 되는 경우는 전체 작품에서 장미를 다른 것으로 해석할 여지가 있을 때이다. 그럴 때에도 노랑장미를 노랑장미의 꽃말인 질투로 해석하지는 않는다.

다른 예를 들어보자. 우리가 잘 아는 '진달래꽃'도 마찬가지다. 소월의 「진달래꽃」이 워낙 유명한 작품이어서, 한국인은 '진달래꽃'을 소월의 시에 나오는 진달래꽃과 겹쳐 보는 습관이 있다. 그러나 소월의 진달래꽃이 그의 시에서 어떤 의미로 해석되었건, 다른 사람이 새로 쓴 진달래꽃에 소월의 진달래꽃이 지닌 상징적 의미를 덮어 씌워서는 안 된다.

소월의 진달래는 소월의 진달래이고, 이대흠의 진달래는 이대흠의 진달래이다. 이와 마찬가지로, 나그네도 목월의 나그네는 목월의 나그네이고, 다른 이의 나그네는 다른 나그네이다. 목월의 나그네가 '술 익는 마을마다 타는 저녁놀'을 보면서 '남도 삼백 리'를 걸어간다고 해서 다른 사람의 나그네도 '술 익는 마을'을 걸어가는 것은 아니다. 이는 소월이 캐낸 금덩이를 잠시 만졌다고 내가 캐낸 금덩이라고 할 수 없는 것과 같다. 따라서 동일한 대상에 대한 해석도 이전 시인의 것과 새로운 시인의 것은 완전히 다를 수밖에 없고, 마땅히 새로운 시인은 그 대상의 새로운 의미를 발굴해야 한다. 따라서 우리는 새로운 시를 지을 때나 읽을 때나 미당의 국화, 소월의 진달래, 목월의 나그네가 주는 이미지를 완전히 벗어버려야 한다.

特강 3

엉망진창 습작시 종합선물세트

1) 슬픈 그리움에

기쁨으로 뛰는 가슴을 안고

뜨겁고 아기자기한 사랑을 하고 싶은

하얀 소녀는

실버들처럼 푸르게 노래하여

강물에 흐르네

주름이 가득 찬

서러운 얼굴의 외톨이가 되어

아스팔트 위에

홀로 외로이

멍하니

서 있는 오후

—「10월」

2) 가고 싶어라 그곳에

따뜻하고 정다운 가족들

사랑으로 일을 하고

즐겁게 노래하는 그곳에

가고 싶어라

한숨 같은 거미줄

아롱다롱 이슬들이 따뜻한 고향

그리운 내 고향에 갈대꽃 어여쁜 구름이 흘러가고

맑은 강물은 세월 따라 얼룩지며 흘러가네

작은 돌멩이는 어디로 떠내려갔나

엄마 잃고 혼자 우는 외로운 돌멩이는

연지곤지 얼굴에 찍고 하얀 추억을

혼자서 만지작거리네

— 「외로운 돌멩이의 추억」

3)붉은 방에 사랑 두 송이

서로의 향기를 나누네

가장 밀착된 언어로

아담과 이브처럼

타오르는 관음에

리듬을 맡기고

신의 피를 나누며

향기롭게

향기롭게

맺은

가장 깊은 약속

수렁처럼 깊은 중심에

꽂은 깃발

정지된 밤이

증언하리라

—「정지된 밤」

위 습작시 1)과 2)와 3)를 보면 어떤 생각이 드는가? 무슨 내용인지 알 수 있겠는가? 만약 위 작품을 독해할 수 있다면, 그는 인간이 아닌 우주인이거나, 시에 대해 너무나 많은 오해를 하고 있는 사람이다. 그런데 습작기의 사람들이 흔히 제출하는 창작시의 형태가 위와 비슷하다.

결론 삼아 말한다면 위의 시들은 '망친 시의 종합선물세트' 이다.

그렇다면 지금까지 공부한 것을 바탕으로 위 습작시들의 문제점을 찾아보자. 먼저 아래 빈칸에 자신이 발견한 위 습작시들의 문제점을 적어 보자.

1) 「10월」의 문제점:
_____
_____
_____
_____
_____

2) 「외로운 돌멩이의 추억」의 문제점:
_____
_____
_____
_____

3) 「정지된 밤」의 문제점:
_____
_____
_____
_____

사실 습작 과정에서 앞의 작품들을 본다면, 당황스러울 수 있다. 문장이 잘 갖춰진 글은 독해를 할 수가 있지만, 문장이 아예 이루어지지 않는 글은 분석하기가 훨씬 어렵다. 따라서 위와 같은 작품을 접한다면, 습작시 자기 진단법에 따라 차근차근 살펴볼 필요가 있다. 즉,

① 화자는 어디에 있으며, 빈번하게 움직이지는 않았는가?

② 화자가 그 위치에서 볼 수 있고, 생각할 수 있는 내용으로 되어 있는가?

③ 주술관계는 맞는가?

④ 불필요한 수식어는 없는가?

⑤ 관념어는 없는가? 관념어가 있다면 그것을 구체화할 방법은 없는가?

⑥ 시의 내용을 따로 설명해야 하는가?

⑦ 불필요한 접속어는 없는가?

⑧ 비유는 최선인가? 달리 표현할 방법은 없는가?

⑨ 어제 쓴 시와 같은 풍으로, 비슷한 내용을 쓰지는 않았는가?

⑩ 원고를 덮어두고 생각했을 때, 떠오르는 이미지 혹은 다시 되새기고 싶은 어떤 구절이 있는가?

위와 같은 질문을 하면서 시를 분석한다. 먼저 「10월」의 경우에는 제대로 된 문장이 없다. 먼저 주술관계를 살펴보자. 주술관계를 볼 때는 서술어를 먼저 봐야 한다. 이 시는 두 개의 문장으로 되어 있다. 그 하나는 '흐르네'라는 서술어로 끝이 나고, 다른 하나는 '오후'라는 명사형으로 끝난다.

먼저 앞 문장의 구조를 보자. 서술어 '흐르네'에 맞는 주어는 무엇인가? 주어는 '소녀는'이 된다. 즉 앞의 문장은 '소녀는 흐른다'이다. 더 완전한 문장이 되는지 살펴보면, '소녀는 강물에 흐른다'가 첫 문장의 내용이다. 즉 이 문장은 주어인 '소녀는'과 보어인 '강물에'와 '서술어인 '흐르네'로 이루어진 문장이다. 그 외는 전부 수식하는 말이다.

그런데 '소녀는 흐르네'라는 문장은 어색하다. 주술관계가 원만하지 않다. 소녀가 흐른다는 내용도 억지스럽다. 이 시를 쓴 시인은 도대체 무슨 말을 하려 한 것일까? 전하고자 하는 내용에 맞게 문장을 다시 짤 필요가 있다.

그 다음 문장을 살펴보자. 이 문장은 서술어를 찾기가 어렵다. 서술격 조사가 생략되어 있는데다가 안은문장이다. 즉 '주름이 가득 한 …… 서 있는'까지가 '오후'를 수식하고 있다. 이 문장이 완결된 문장이 되려면, '오후이다'로 끝나야 하지만, 시에서는 서술격 조사가 생략되는 경우가 있다. 따라서 생략된 내용을 유추해 보면, 두 번째 문장의 서술어는 '오후이다'라는 것을 알 수 있다. 그렇다면 '오후이다'에 맞는 주어는 있는가? 없다.

그렇다면 '오후이다'에 맞는 주어를 생각해야 한다. 주어가 문장에 나타나 있지 않을 때에는 먼저 '나'라는 주어가 생략되어 있는지 살펴야 하고, 두 번째로는 앞 문장의 주어가 쓰일 수 있는지 맞춰봐야 한다. 이 문장에서는 숨은 주어 '나'를 붙여도 문장이 안 된다. 따라서 이 시의 앞 문장의 주어가 '소녀는'이므로 '소녀는 오후이다'라는 문장이 성립 가능한 지를 봐야 한다. 결론적으로는 불가능하다.

다시 서술어를 보자. 이 문장의 서술어는 '오후'이다. 그렇다면 '오후'는 시간을 나타내기 때문에 '지금은'이라는 주어가 생략되어 있다는 것을 유추해야 한다. 이를 바탕으로 두 번째 문장을 분석해 보면, '지금은 오후이다'라는 문장이 성립된다. (이래서 잘못 쓴 글을 분석하는 건 더욱 어렵다. 너무 어려우면 이 대목은 나중에 읽으시라.)

이제 지금까지 살펴본 내용을 바탕으로 두 번째 문장을 더 검토해 보자. '지금은 오후이다'라는 문장에는 '주름이 ……

서 있는'이라는 안긴문장이 있다. 따라서 그 내용을 포함해서 읽어 보면, 이 문장은 '지금은 (주름이 …… 서 있는) 오후이다'라는 내용이 된다.

  그런데 문제는 또 있다. 괄호 속의 수식언도 완전한 문장이 아니다. 즉 괄호 속의 내용을 보면, '서 있다'가 서술어인데, 거기에 맞는 주어가 없다. 다시 말하면 괄호 속 문장에도 몇 개의 주어가 나오지만, 그 주어들은 제각각 짝을 이루는 서술어가 따로 있다. 즉 '주름이'는 '가득 찬'과 만나고, '외톨이가'는 '되어'와 만난다. 문장 조건에 맞게 한다면, '주름이 가득 차다'라는 문장과 '외톨이가 되다'라는 문장이다. 이제 남은 것은 '서 있는'이다. 그런데 '서 있는(서 있다)'를 호응하는 주어가 없다. 이때는 또 앞 문장에서 맞는 주어가 있는지 살펴야 한다.

  그런데 없다.

  무엇이 서 있는가? 아스팔트 위에 서 있는 자는 누구인가? 외톨이가 된 사람은 누구인가? 주름이 가득 찬 사람은 누구인가? 혹은 무엇인가?

표면적으로 찾을 수 없고, 앞 문장의 주어도 맞지 않는다면, 먼저 숨은 주어 '나'를 찾아서 넣어야 한다. 그렇다. 이 수식언 문장의 주어는 '나'이다. 따라서 두 번째 문장을 보다 온전한 문장으로 만들어 보면,

'지금은 내가 서러운 얼굴의 외톨이가 되어 아스팔트 위에 홀로 외로이 멍하니 서 있는 오후이다'

라는 문장이 성립된다. 이렇게 문장을 써 놓고 보면, 해석은 되지만, 너무 복잡하고, 혼란스럽다. 그만큼 위 습작시는 복잡한 문장으로 이루어져 있고, 불필요한 수식어나 수식언이 많다. 분석하면 '내가 아스팔트 위에 서 있는 오후'를 그리고 있는데, 나는 '주름이 가득 찬 얼굴'이고, 그런 얼굴을 한 나는 '외톨이이다' 또 그런 얼굴을 하고 서 있는 나는 '홀로'인데다가, '외롭고,' 아무 생각이 없이 '멍하니' 서 있다. 복잡하다.

그러므로 이 작품은 과감하게 수정을 하지 않으면, 독자에게 의미 전달 가능성이 현저히 낮다. 이 작품을 고친다면,

먼저 과감하게 수식어를 버려야 한다.
또한 문장을 단문으로 끊어야 한다.

시는 모호한 말을 비비 꼬는 것이 아니라, 명확한 말을 문학적으로 전달하는 언어예술이다. 따라서 위의 습작시를 쓴 이는 기본적인 문장의 구조부터 공부해야 마땅하겠지만, 일단은 문장을 짧게 쓰는 훈련부터 해야 한다.

「외로운 돌멩이의 추억」을 살펴보자. 이 작품은 문장에 변화를 주기 위해 도치법을 사용하였다. 또한 '그곳에/가고 싶어라'라는 구절을 통해 알 수 있듯 행걸침 수법을 사용하여, 단조로움을 피했다. 특별히 문장상의 결함은 보이지 않는다. 그런데 시 전체의 내용에 모순이 있고, 몇 개의 문장에서는 의미 전달이 모호하다.

즉 5행까지는 사랑으로 일을 하고 즐겁게 노래했던 곳이었는데, 6행에서는 거미줄을 묘사하면서 '한숨 같은'이라는 표현을 썼다. 앞의 5행까지와 6행의 내용이 충돌을 일으킨다. 역설적 의미를 전달할 목적이 아니라면, 의미나 이미지의 충돌을 시상을 흐트러뜨리고, 주제의식을 약화시킨다. 또 7행의 '아롱다롱 이슬들이 따뜻한 고향'이라는 구절도 의미가 모호하다. 비이슬은 미지근한 경우가 있지만, 대체로 이슬은 이른 새벽이나 밤에 맺혔다가, 해가 뜨면 사라지기 때문에 '따뜻하다'고 느끼기 어렵다.

8행의 '갈대꽃 어여쁜 구름'이라는 구절도 적확한 표현은 아니다. '갈대꽃처럼 어여쁜 구름'인지, '갈대꽃 피고 어여쁜 구름이 흘러가고'라는 의미인지 분간하기 어렵다.

9행의 '강물이 얼룩진다'는 표현도 거슬린다. 강물 자체가 액체이기 때문에 거기에 얼룩이 생겼다는 것도 이해할 수 없다. 그러나 세월이라는 관념을 얼룩으로 표현한 점은 좋은 시도이다.

이 시의 결정적 문제점은 10행부터이다. '작은 돌멩이는 어디로 떠내려갔나'라는 구절은 '돌멩이'를 객관적 상관물로 삼은 것인데, 화자의 위치와 관련지었을 때 문제가 있다. 즉 10행에서 화자는 돌멩이가 있었던 곳에 있으며, 있었던 돌멩이가 사라졌다는 것을 인지하고 있다. 그런데 그 다음 구절에서는 '사라진 돌멩이'를 보고 있다. 내용의 일관성을 가지려면, 돌멩이는 '떠내려 가'지 않고, '떠내려 왔'어야 한다. 즉 10행을 '작은 돌멩이는 어디에서 떠내려 왔나'로 수정해야 의미가 상통한다.

11행부터의 돌멩이는 감정이입의 대상인데, 돌멩이에게 엄마가 있다는 설정은 난데없다. 그리고 돌멩이가 연지곤지를 찍었다는 표현도 억지스럽다. 아무리 의인화 된 돌멩이이지만, 돌멩이는 돌멩이다.

문제점은 더 있다. 돌멩이에게는 손이 없는데, 돌멩이가 '하얀 추억'을 만지작거린다는 표현은 작위적이며, '하얀 추억'도 너무 막연해서 이해할 수 없다.

이제 「정지된 밤」으로 넘어가자.

먼저 질문 하나를 해보자.

「정지된 밤」을 유명 시인의 시집에서 읽었다면 어떤 평가를 내릴 수 있겠는가?

또한 「정지된 밤」이 어떤 문학상 수상작이라면 어떻게 읽을 수 있겠는가?

스스로 근거를 가지고 평가를 해볼 필요가 있다. 어떤 작품이 어느 지면에 실려 있더라도 작품 자체의 가치를 볼 수 있어야 한다. 남의 평가에 휘둘릴 필요가 없다. 이 작품은 이러이러한 점이 뛰어나다거나 혹은 이 작품은 이러저러한 문제점이 있다거나 할 수 있어야 한다. 그런데 대부분은 자기 눈으로 평가하지 못하고, 다른 사람의 눈에 휘둘린다.

특히 습작생들이 평가하기 어려운 작품이 「정지된 밤」과 같은 작품이다.

첫째 이 작품은 문장의 결함이 없다.

둘째 은유를 사용하여 그 의미가 심오한 듯 보인다.

셋째 '향기' '약속' '깃발'이 계열관계를 이루어 시적 의미를 확장, 심화하고 있다.

따라서 이런 작품을 독해할 때, 시에 익숙하지 않는 독자는 겁부터 먹는다. 그러나 독해는 단순하다.

먼저 문장 단위로 시를 쪼개어 보자.

1문장 : 붉은 방에 ~ 나누네

2문장 : 가장 ~ 약속

3문장 : 수렁처럼 ~ 깃발

4문장 : 정지된 ~ 증언하리라

이렇게 총 4문장으로 되어 있다. 이 중 2문장은 이어진 문장이므로, 그 문장은 둘로 쪼갤 수도 있다. 이렇게 문장 단위로 분리한 후 의미를 살펴보아야 한다.

두 번째는 화자를 찾아보자. 화자는 어디에 있는가? 표면적으로 화자는 드러나지 않는다. 그러므로 화자는 숨어 있는 '나'이다.

세 번째는 시에 나타난 주된 대상은 무엇인가? '사랑 두 송이'이다.

따라서 이 작품은 숨어 있는 화자인 내가, 붉은 방에 있는 '사랑 두 송이'를 보고 있다. 뒤에 이어지는 내용으로 미루어보아, '사랑 두 송이'는 '사람'일 가능성이 크다. 즉 '사랑 두 송이'는 드러난 의미로는 '꽃'이나 어떤 '열매'이지만, 꽃이나 열매가 약속을 할 수는 없으므로 '사람'이거나, 사람의 행위로 인한 어떤 결과물이다. 물론 그렇지 않을 가능서도 있다. 즉 어떤 결과물에 대한 약속을, 은유를 통해 표현한 것일 수 있다.

이것이 문제이다. 이것일지 저것일지 도무지 가늠할 수 없다. '사랑 두 송이'가 '두 사람'의 은유라 해도 해석은 어렵다.

그렇지 않고, '사랑 두 송이'가 어떤 둘의 약속 관계를 나타낸다고 하더라도 모호하다.

사실 이 작품은 어떤 해석도 가능하지만, 동시에 어떤 해석도 불가능하다.

그 이유는 자기 혼자만의 암호를 사용해서 시를 썼기 때문이다. 시인에게는 이 시에 표기된 '사랑 두 송이' '서로의 향기' '가장 밀착된 언어' '타오르는 관음' '신의 피' '가장 깊은 약속' '수렁처럼 깊은 중심' '꽂은 깃발' '정지된 밤' 등이 의미심장한 은유나 상징일 수도 있지만, 독자의 눈에 이 작품은 독해 불가능한 낱말들의 부적절한 조합일 뿐이다.

이 작품을 두 사람이 밀회를 나눈 장면을 상징적으로 표현한 것이라는 설명이 있다면, 약간은 해석이 가능하다. 그러나 시를 독해할 때는, 시 외의 다른 자료가 주어진다는 것은 별 의미가 없다. 우리는 자기가 쓴 시를 들고 다니면서 일일이 독자에게 그 시의 배경을 설명할 수 없다. 시는 시 자체로 해석이 가능해야 한다.

현학적 표현

시를 쓸 때, 자기도 모르는 것을 쓰려는 사람들이 있다. 자기도 모르는 것을 쓰면 당연히 독자가 알아먹을 수가 없다. 자기가 분명하게 본 것, 자기가 분명하게 안 것을 전달하려 해도 여러 가지 이유로 인해 독자는 해석에 어려움을 겪는다. 누구든 자기가 모르는 것을 말한다면, 그걸 알아먹을 사람이 있겠는가? 당연히 이해할 수 없다. 이해할 수 없으면 감동도 없다.

모르는 것을 쓰거나, 무언가를 알은 체 하려는, 현학 취향은 세 가지 형태로 드러난다. 첫째는 어설피 아는 것을 아는 척하기 위해 굳이 쓰는 경우이다. 그런데 문학 작품은 설익은 지식을 전달하는 데에 목적이 있지 않다. 둘째는 자기가 몰랐던 어떤 사실을 알게 되어 그것을 시로 옮기는 경우가 있다. 즉 어디선가 읽은 동물의 생태나 식물의 생태에서 새로운 것을 발견하면, 그것을 새로운 발견인 것처럼 시에 옮긴다. 그런데 그런 작품은 문학 작품으로써 가치가 떨어진다. 문학 작품은 과학적 사실을 전달하는 데에 목적이 있는 게 아니다. 셋째는 어려운 말을 인용하는 경우이다. 권위를 빌리기 위한 것인데, 창의성과는 거리가 멀다.

첫 번째의 경우에는 철학적으로나 종교적으로 중요한 용어를 남발하는 형태로 드러난다. 이런 시의 경우 그 내용에 대해 명확히 알고 있는 사람이 보면, 의미가 통하지 않는 경우가 많다. 이는 불교나 도교나 무속에서 쓰는 용어를 자기 식으로 함부로 해석하여 쓰는 방식이나 철학적으로 중요한 용어를 엉뚱하게 쓰는 방식으로 드러난다.

이런 현학 취향의 다른 형태 중 하나가, 고전에 나오는 내용에 쉽게 타협하는 것이다. 다음과 같은 형태이다.

1)물은 흘러간다

물은 낮은 데로 흘러가면서 온갖 형태로 변한다
물이 어떤 모양으로 변하더라도 물은 물로 남는다
상선약수라 했다
나는 너무 오르려고만 했다
물처럼 훌훌 저 아닌 것은 다 벗어버리고
가장 낮은 곳으로 내려서자

이는 단순히 고전에 기댄 메모에 불과할 뿐이지 시라고 하기는 어렵다. 개성도 없고, 문학적 기교도 없고, 자기만의 사유도 없다. 문학적인 가치를 묻는다면, 하나마나한 이야기를 반복해서 했을 뿐이다. 현학취향의 글이 문학작품이 되기 어려운 것은 그것을 아는 이에게는 지루한 동어반복에 불과하기 때문이다.

두 번째의 경우는 다음과 같은 형태가 대표적이다.

2)민들레꽃은 바퀴 같다
제자리에서 움직이지 않는다
민들레는 그대로 있지만
우주가 도는 걸 보니

민들레꽃도 분명 돌고 있다

위의 글은 천체 물리학적 지식을 바탕으로 깔고 있다. 의미심장하게 민들레꽃은 바퀴 같다고 해 두고, 결론 삼아서 가만히 있는 민들레꽃이 돌고 있다고 결론을 내렸다. A가 가만히 있지만, 그에 대응하는 B가 돌고 있으므로 결국 A도 돌고 있다고 해석을 하거나, 내가 A와 함께 있으므로 A가 돌지 않고 있는 것처럼 보이지만, 결국은 나와 A는 돌고 있는 것이라고 해석을 하면 된다. 중요한 것은 이런 어설픈 지식은 문학작품의 수준을 올리는데 도움이 되지 않고, 이런 지식을 갖다 붙인다고 작품의 깊이가 더해지는 것도 아니다.

세 번째 이러한 현학 취향은 새로운 철학서에 나온 이야기를 옮기거나, 어려운 한자를 나열하거나, 꼭 필요하지도 않는 외국어를 나열하는 것으로 드러난다.

3)바람에도 색이 있다
모든 존재는 자기를 견디지 못한다
바람도 바람을 견디지 못한다
뭉크의 절규처럼

휘어진 색의 바람이

나를 옥죈다

프리드리히

프리드리히 니체의 옷자락에

불었던 바람이

서울 한 복판에 불고 있다

― 「서울에 온 니체」

4) 연못에 연꽃 피고

추사체로 내리는 비

다반향초

다반향초

조는 목탁에

섬들은 멀리

굿거리로 흔들리는데

길 잃은 갈매기

탁족하듯

바다를 베끼네

― 「문방구에서 산 고요」

3)의 작품의 경우에는 프리드리히 니체의 사상이 에드바르트 뭉크의 그림에 영향을 주었다는 것을 알고 쓴 것이다. 그러나 뭉크의 이름과 니체의 이름을 가져왔다고 해서 이 작품이 좋은 작품이 되는 것은 아니다. 더군다나 행과 행의 연결고리가 거의 없어서, 이 작품은 별 연관성 없는 말들을 이어 붙여 놓은 것에 불과하다. 의미 파악을 할 수도 없고, 당연히 감동과는 거리가 멀어진다. 오직 시인 자신이 알고 있는 것을 자랑하고 있다.

4)의 작품도 마찬가지이다. '추사체', '다반향초', '탁족'이라는 한자어가 나오고, 국악의 한 장단인 '굿거리 장단'까지 동원 되었다. 그러나 시의 내용을 분석하기에는 매우 어렵다. '추사체로 내리는 비'가 다소 멋지게 느껴질 수도 있지만, 그렇지 않다. 오히려 '추사체로 내리는 비'는 어떤 비를 말하는지 궁금하기는 하지만, 그 실체를 알 수 없다. 구체성이 떨어진다. '다반향초'라는 말도 혼잣말에 불과하다. 군이 반복법까지 써서 말을 낭비했다. 이어지는 '조는 목탁'의 이미지와도 맞지 않는다. 더구나 제 멋대로 어떤 갈매기를 '길 잃은 갈매기'라고 단정을 하였다. 그래 놓고는 어디선가 본 듯한 구절, '베끼네'를 억지로 갖다 붙였다. 당연히 작품으로는 아

무런 가치가 없고, 이런 식으로 습작을 해서는 발전성을 기
대하기도 어렵다.

시는 무언가를 아는 체 하는 순간에 망친다. 또한 시는 시
자체로 말해야지, 대단한 어떤 사람의 이름이나 사상을 들먹
인다고 해서 작품이 좋아지지는 않는다.

10강

준비된 결론

●

  좋은 시인과 그렇지 않는 시인의 차이는 시적 영감을 대하는 태도에서도 드러난다. 좋은 시인은 자신이 발상한 기막힌 구절에서 시를 시작하고, 그렇지 않는 시인은 그것을 결론 삼아 앞의 내용을 짜깁기 한다.

  즉, 기가 막힌 발상이 떠올랐을 때, 서툰 시인은 그것을 목적지로 삼아 시를 끌어간다. '저게 집이야!'라는 생각을 가지고, 정해진 길로 가서 마침내 집에 들어간다. 그러나 그런 시는 깊이가 없다. 호기심을 유발하지도 않는다. 그리고 빤한 결론을 향해 설명을 하거나 이유를 달았을 것이므로, 뛰어난 독자는 아예 읽을 생각도 하지 않는다. 빤한 결말을 정해 놓고, 빤한 이유를 갖다 붙인 글이 어떤 충격을 줄 수 있겠는가.

　시는 애완하는 강아지 같다. 강아지 주인이 강아지를 아끼고 사랑하듯이 시인은 시를 아끼고 사랑한다. 방식의 차이는 있다. 어떤 이는 강아지를 묶어서 키우고, 어떤 이는 풀어놓고 키운다. 또 어떤 이는 실내에 풀어놓고 갖가지 치장을 해주는데, 어떤 이는 마당에 풀어 놓고 강아지의 몸을 가꾸고 무언가를 입히지 않는다. 또 어떤 이는 철망 같은데 가두어 두고, 강아지는 짖는 역할만 하면 된다고 생각한다. 저마다 강아지를 대하는 방법에 차이가 있고, 강아지를 사랑하는 정도나 방식도 다르다.

　시를 대하는 태도도 이와 마찬가지이다. 어떤 이는 시의 용도를 한계지어 놓고, 오로지 시는 그런 역할만 한다고 생각하며, 어떤 이는 시의 역할을 한계지어서는 안 된다고 본다. 오직 시를 자기를 위해 복무하게 하고, 온갖 치장을 해주고, 품에 안고 사는 이가 있는가 하면, 시를 풀어 놓고 시가 마음대로 움직이도록 놔두는 이가 있다.

　시를 쓰는 이는 둘 중의 하나를 선택해야 한다. 시를 수단으로 삼고 있는지, 목적으로 삼고 있는지 살펴봐야 한다. 만약 준비된 결론에 맞추어 시를 쓰는 이가 있다면, 그는 시를 묶어 둔 것이고, 자신이 포착한 영감에서 출발하여, 시가 어디로 갈 것인지 목표 지점을 정해놓지 않는 게 시를 풀어주는 것이다. 이를 시의 관리자와 시의 친구라 구분해서 이름 지을 수 있다.

따라서 시를 사랑한다고 말하기 전에 시를 어떤 방식으로 대하고 있는지 스스로 관찰해 보고, 시를 마음대로 부리려 했다면, 지금부터라도 시의 목에 걸린 목줄을 끊어야 한다.

시여. 뛰어 놀아라.
영감이여. 자유롭게 뛰어라.

때로 시는 자신이 생각하지도 않았던 방향으로 달려갈 수도 있다. 그럴 때 시가 하는 것을 그대로 따라가라. 자신이 이끌려고 하지 말고, 시가 가는 곳을 따라 가라. 그렇게 하면, 아직까지는 몰랐던 세계가 발견될 것이다. 시로 하여금 시의 눈으로 시의 발로 시의 길로 가게 해야 한다.

시를 대하는 위의 두 가지 태도의 차이가 실제 작품에서는 어떻게 구현될까? 예를 들어 살펴보자.

어떤 시상이든 불현 듯 떠오르는 것처럼 여겨진다. 그것이 이미지이든 깨달음이든 갑자기 머릿속이 환해지면서 생각이 온다. 영감에 불이 켜지는 순간이다.

어느 날 코스모스 꽃밭을 보고 있다가 다음과 같은 생각이 떠올랐다고 하자.

차별이 없는 코스모스 꽃들에 비해 우열을 가리는 사람들이 오히려 어리석다

이 생각은 코스모스 꽃밭을 보면서, 다투고 살고, 계급이 있는 인간의 삶과는 달리 꽃들은 저마다의 아름다움을 자랑하고 있다는 생각을 한 것이다. 코스모스는 어느 한 꽃만 예쁘다고 뽐내지 않는다. 특별히 한 꽃만 환한 것이 아니라, 저마다 자기를 뽐내고 있다. 색도 다양한지만 특정 색이 다른 색을 폄하하지 않는다.

이때, 시의 관리자, 지배자는 아래처럼 답이 나와 있는 시를 쓴다.

1)코스모스 꽃길에 서면

사람이 얼마나 어리석은지 알게 된다

저렇게 저마다 꽃을 피워 내면서도
꽃들은 다른 꽃을 다치게 하는 법이 없다

꽃 피운다는 게 누군가를 밟고서
올라가는 일이 아니라는 것을
꽃들은 이미 알기 때문이다

하늘하늘 흔들리는
코스모스 꽃길이 아름다운 것은
꽃과 더불어 잎과 줄기도
기쁘게 흔들리기 때문이다

그때 쯤 하늘은 한 뼘 더 높아진다

제 그늘은 한사코 간직하면서
꽃은 그늘아래 움츠리지 않는다

— 「코스모스 꽃길에 서면」

시의 관리자가 쓴 시의 모습이다. 위의 시는 코스모스 꽃길에서 얻은 영감 하나를 설명하는데 그쳤다. '코스모스 꽃길에 서면/사람이 얼마나 어리석은지 알게 된다'는 게 시인이 발견한 깨달음이다. 그리고 나머지 구절은 그 이유를 밝히는데 썼다. '꽃밭을 보니 키가 크거나 작거나 저마다 꽃을 피웠는데 사람은 그렇지 않더라'라는 주제를 뒷받침하기 위해 갖가지 근거를 댔다.

문제점은 또 있다. 하나의 결론에 내용을 맞추려다보니, 시상 전개가 너무 도식적이다. 세부적으로 보면, 3연과 4연의 '~ 때문이다'로 끝난다. 설령 문학적 이유를 달았기에 '~ 때문이다'라고 한 것이지만, '~ 때문이다'라는 말을 쓰지 않고, 이유를 다는 기술이 필요하다. 더군다나 이 시는 문장을 종결할 때 같은 서술어를 두 번이나 사용하였다. 언어의 효율성을 지극히 따지는 시에서는 반복된 서술어마저도 시적 결함이다.

이런 시는 독서량이 조금 있는 독자라면 첫 줄과 마지막 줄만 보고도 다 읽지 않는다. 한 편의 시는 독자에게 예기치 못한 충격을 줘야 하며, 독자가 가지고 있는 편견을 훔치거나, 독자가 예상하지 못했던 과제를 안겨 줘야 한다. 즉 시는 굳어진 독자의 관념을 깨는 망치여야 한다.

그런데 위의 작품 「코스모스 꽃길에 서면」은 예상된 결론을 정해놓고, 가고 있다. 시인의 사유는 굳어있고, 표현에서도 기발함이 보이지 않는다. 더군다나 독자에게, '꽃에게서 배워'라고 가르치고 있다. 그러다보니 전체적으로 재미가 없다. 결론을 정해 놓고, 그렇게 결론이 난 이유를 설명하고, 정해진 결론을 강요한다. 사유가 깊은 사람은 굳이 그렇게 설명하지 않아도 시인이 줄래줄래 단 이유보다 근사한 이유를 이미 알고 있다. 물론 일부 독자는 이렇게 친절하게 설명한 시를 좋아하기도 한다. 그렇지만 그런 대중의 취향에 맞는다고 좋은 시랄 수는 없다.

이 작품이 의미 있는 시가 되려면, '코스모스 꽃길에 서면/사람이 얼마나 어리석은지 알게 된다'는 진술의 평이함부터 넘어야 한다. 그리고 그러한 인식을 출발점으로 삼아 미지로 가야 한다.

다른 하나의 예를 들어보자.

작은 꽃을 보려면 몸을 낮춰야 한다. 땅에 붙은 채송화나 꽃마리 꽃처럼 작은 꽃은 무릎을 꿇고 꽃에게 최대한 가까이 다가가야 한다. 그렇게 해야 한다는 것은 누구나 안다. 하지만 그것을 시어로 만드는 것은 아주 작은 차이에 불과한 경우가 많고, 겨우 한 문장, 겨우 한 단어의 차이로 인해 시의 품격은 달라진다. 그러나 대개 최상급의 시인이 아닌 경우에는 이 '겨우'를 넘어가지 못하고 주저앉는다.

그런데 이 '겨우'가 실은 '불현듯 얻은 시적 영감을 결론으로 삼는 시'와 '그 영감에서 출발하여 한 발짝 더 나간 시'의 차이이다.

키 작은 꽃을 보다가 키 작은 꽃을 보려면 무릎을 구부려야 한다는 것을 자각하면서,

꽃 앞에 무릎을 꿇었다

라는 시상을 얻었다. '아, 사람은 꽃 앞에 무릎을 꿇어야 작은 꽃의 내면을 볼 수 있구나. 꽃이라는 상징성을 생각했을 때, 꽃 앞에서 무릎을 꿇지 않는 자가 누가 있겠는가. 꽃 앞에 무릎을 꿇는 자세는 상대를 경배하는 것이다. 꽃 앞에 무릎을 꿇는 것은 아름다움을 숭고한 것으로 떠받는 자세가 아니겠는가' 이 한 문장에는 이런 생각이 깔려 있다.

그런데 똑같은 발상으로 시를 써도 어떤 이는,

2)위에서 쳐다볼 때는
얼굴만 슬쩍 보여주던 꽃이
어쩌다 발을 헛디뎌 무릎을 꿇게 되자
마음을 활짝 연 듯
속이 비쳐 보였다

키 작은 꽃들은
무릎을 꿇어야 보인다
꽃 앞에 무릎을 꿇어야
꽃 마음이 보인다

눈높이를 맞추면
심장 높이를 나란히 하면
내게서 꽃으로
꽃에서 내게로
피가 흐르는 것만 같다

당신도 그렇다

―「꽃 앞에 무릎을 꿇다1」

이렇게 쓴다. '2)「꽃 앞에 무릎을 꿇다」는 전형적으로 결론을 정해 놓고 쓴 시이다. 이는 시가 아니라 설명이다. 더구나 시의 마지막 '당신도 그렇다'는 구절은 어디선가 본 듯하다.

그렇다면 이런 시적 발상을 결론으로 삼지 않고, 그것에서 출발하여 시를 쓰면 어떻게 될까?

시의 씨앗이 되는 영감은 어차피 다음과 같은 하나의 문장이다.

'꽃 앞에 무릎을 꿇다'

여기에, 겨우 단 한 줄이라도 더 나아간 시를 쓰기 위해서는 시를 풀어줘야 한다. 시를 풀어준다는 것은 불현 듯 자기에게 온 영감을 오래도록 굴리고, 하나의 영감이 새로운 상상세계를 구축할 수 있도록 풀어놓고, 사랑하고, 함께 놀아야 한다.

3)나는 한사코 고개를 숙여 꽃을 보았다
젖은 꽃 속에 더 젖은 꽃의 살

호! 흡!

숨이 멎을 것 같았다

절하며 고개 조아리며

꽃 앞에 무릎을 꿇었다

— 「꽃 앞에 무릎을 꿇다2」

이 작품은 앞의 「꽃 앞에 무릎을 꿇다1」과는 다르다. 꽃 앞에 무릎을 꿇는 이유, 꽃 앞에 무릎을 꿇게 되기까지의 과정을 설명하는데 그치지 않았다. 몇 가지 문학적 장치도 있고, 심연을 보려는 의지가 있다. 특히 언어가 절제되어 있어서 꽃을 대하는 화자의 심리까지 느껴진다.

여기에서 그쳐서는 안 된다. 비록 '겨우'의 차이이지만, 어떤 한계를 조금씩 극복해 가는 게 창작의 즐거움이다. 무릎 꿇어 꽃을 보았으니, 그것 이후에 대해 고민해야 한다.

꽃은 아름다움이고, 아름다움이 주는 충격은 어떤 것일까? 아름다움을 물질로 표현하면 어떻게 해야 할까? 꽃의 아름다움에 자진했다거나 꽃의 아름다움에 빠져들고 말았다고 하면 어떨까? 아름다움은 뜨거운 것, 독한 것, 치명적인 것이다. 그렇다면 꽃은 뜨거운 것이 아닌가? 꽃에 델 수도 있는 것 아닌가? 데였다면 그 후는 어떤 상황이 벌어질까? 꽃에 빠졌다는 것을 어떤 말로 표현해야 할까? 무언가에 빠지면 나머지 것은 보이지 않는다. 무언가에 빠져 있을 때는 시간도 없다. 오직 그것만 있다. 그런 상태를 어떻게 표현해야할까? 수많은 질문을 던져야 한다.

　제목은 어떻게 붙여야 할까? 제목을 「꽃 앞에 무릎을 꿇다」로 할까? 그런데 맞춤한 제목이긴 하지만, 내용에서 추린 것이라 깊이가 없어 보인다. 더욱 깊이 있는 제목을 붙일까? 그렇다면 어떤 제목이 좋을까? '꽃'이라는 말이 들어가지 않는 제목은 어떨까?

이와 같은 고민을 해야 한다.

4)나는 한사코 고개를 숙여 꽃을 보았다

젖은 꽃 속에 더 젖은 꽃의 살

호! 흡!

숨이 멎을 것 같았다

절하며 고개 조아리며

꽃 앞에 무릎을 꿇었다

데였다

뜨거워 부풀어져서 그만

봄을 다 흘리고 말았다

꽃 속이었다

—「꽃 앞에 무릎을 꿇다3」 전문

완성된 시를 보면, 별 것이 아닌 것 같다. 그리고 누군가 써 놓은 구절을 보면, 나도 생각할 수 있을 것만 같다. 그러나 그렇지 않다. 아주 작은 차이에 불과하지만, 그것을 시어로 만드는 데는 수많은 시간과 노력을 투자해야 한다. 시인은 한 줄의 시를 쓰기 위해 많은 시간을 소모한다. 어쩌다 운 좋게 한 편의 시가 줄줄 나오는 경우가 있지만, 대부분의 작품은 최소한 며칠을 품어야 한다. 어떤 작품은 몇 달이나 몇 년을 안고 있다가 '겨우' 완성되기도 한다.

시적 영감은 시의 열매이자 씨앗이다. 서둘러 그것만 수확하면, 거기에서 끝난다. 그러나 영감으로 얻은 열매를 씨앗으로 쓴다면, 훨씬 풍성한 시의 세계로 갈 수 있다. 어렵게 얻은 한 구절을 수확물로 삼을 것인지, 그것을 씨앗 삼아 시 농사를 더 지을 것인지 고민해야 한다. 물론 시인이라면 후자를 택해야 한다. 수고로운 노동이 필요하겠지만, 시인은 언어밭에서 시를 농사짓는 사람이다. 수확한 시상을 결론 삼아 써버리면, 그 영감은 거기에서 탕진된다. 반면 어떤 영감을 얻었을 때, 그 영감을 바탕으로 새로운 시를 향해 간다면, 놀라운 작품이 탄생할 수 있다.

똑같은 영감을 얻었다 하더라도 결과물은 다르다.

앞의 「꽃 앞에 무릎을 꿇다1」이 결론을 정해놓고 쓴 시라면, 마지막 인용시 「꽃 앞에 무릎을 꿇다3」은 결론에 맞추지 않고, 어떤 영감에서 출발해 결론을 정해 놓지 않고 쓴 시이다. 앞의 시가 정해진 목적지로 직진한 시라면, 뒤의 시는 어딘가를 가긴 가는데, 딱히 정해 놓지 않고, 해찰부리다가 낯선 길로 가면서 질문만 했던 시다.

이 둘의 차이는 정답을 강요하는 시와 질문하는 시의 차이이다. 어떤 결론도 미리 정하지 말라. 있는 길로 반복해서 다니지 말고, 길이 끊어진 지점에서 시작해 새로운 길을 뚫어라. 그것만이 새로운 시의 길이다.

특강 4

맞춤법을 버려라

1)영감이 가불고 보고자퍼도 영 볼맬이 읍따 그라고 가지말락해 뜸마는 막가불고 올락한다고 하도 안한다 핵교가먼 졸것인디 가서 안가고잪다 개꽃이 폈는디 영감이 안온다

―「핵교1」

이런 글을 읽으라면 독해가 쉽지 않다. 일단은 사투리를 모르는 사람이라면 사투리에서 머리가 아플 것이고, 사투리에 대한 독해 능력이 있다고 하더라도 맞춤법에 맞지 않게 썼기 때문에 문장 전체를 읽어내는 데는 부담이 될 수밖에 없다. 위의 문장을 표준말로 고치고 띄어쓰기를 해보자.

2)영감이 가버리고 보고 싶어도 영 볼일이 없다 그렇게 가지 말라고 했더니 막 가버리고 오려한다고 말도 안 한다 학교 가면 좋을 것인데 가서 안 가고 싶다 철쭉이 폈는데 영감이 안 온다

―「학교」

표준말로 고쳐 써도 이해가 쉽지는 않다. 그것은 문장에 결함이 있기 때문이다. 즉 주술관계가 잘못되었고, 꼭 필요한 문장 성분이 빠져서 명확하게 독해를 할 수가 없다. 예를 들면 '학교 가면 좋을 것인데 가서 안 가고 싶다'라는 문장의 주어가 무엇인지 모호하고, '가서'의 주체도 알 수가 없다. 이렇듯 문장성분에 결함이 생기면 완전한 문장이 아니라서 해석이 불가능하다. 이는 시에서 말해지는 애매성과는 차원이 다르다. 잘못 쓴 것을 시적 허용이라고 우길 수도 없다. 여기에 외래어를 섞어 쓰거나 사투리를 쓰면 더 어려워진다. 어지간한 실력을 갖추지 않고서는 잘못 쓴 글과 어려운 문장의 차이를 분별하는 게 쉽지 않다. 그래서 문장 훈련이 되지 않는 이들은 자신이 쓴 글이 문법에 맞는지를 잘 알지 못하는 경우가 있다. 이따금은 틀리는 것이 두려워서 글쓰기를 포기하는 사람도 있다.

그러나 잘못 쓴 것은 고칠 수가 있다.

어떻게 고쳐야 할까?

일단 앞의 습작시「핵교1」를 문장에 맞게 고쳐 보자.

3)영감이 가불고 보고 갚어도 영 볼 맬이 없다 그라고 가지 말락

했듬마는 막 가불고 올락 하지도 않는다 같이 학교 가면 졸 것인
디 가서 오지 않는다 나는 아직 안 가고 잪다 영감이 안 온다

—「핵교2」

　이렇게 정리하면 먼저 죽은 영감을 그리워하고 있는 화자
의 정서를 읽을 수가 있다. 아마 시적 화자인 할머니는 '학교'
를 다니는 것으로 보이는데, 현재의 내용으로 보아서는 어떤
학교에 다니고 있는지 분명하지 않다. 이럴 때는 '글쓴이의
의도'를 물어서 약간의 첨삭을 해 주면, 그럴 듯한 작품이 나
온다. 만약 한글교실을 다니는 분이 이런 글을 썼다면, 막연
히 '학교'라고 하지 않고, '한글을 배우러 다닌다'라고 구체성
을 살리는 게 좋다.

　그런데 글을 쓰기도 전에 맞춤법을 몰라서 글쓰기를 두려
워하는 경우가 있다.

　또한 지식이 부족하다는 이유로,
　아는 단어가 많지 않다는 이유로,
　상상력이 뛰어나지 않다는 이유로,

미리 글쓰기를 포기하는 사람들이 있다. 그러나

글쓰기는 말과 같다. 우리가 일상에서 어떤 말을 할 때, 잠깐이라도 생각해서 하면 더 적당한 말을 할 수 있듯이, 어떤 글을 쓸 때도 깊이 생각을 한 후에 하면, 더욱 적합하게 표현된 글을 쓸 수가 있다.

말의 원리와 글의 원리가 다르지 않다.

말을 할 때도 두려움이 앞서면, 말을 할 수가 없듯이, 글을 쓸 때도 먼저 겁을 내면 좋은 글을 쓸 수가 없다. 웅변술이나 화술을 배우듯 글쓰기도 훈련을 통해 그 능력을 향상시켜야 하는데, 미리 포기하면, 아무런 발전을 꾀할 수가 없다.
다음의 예를 보자.

글쓰기를 한다고해도 나는 맞춤법을 몰라서 쓰기가 어렵다. 생각으로는 다 썼는데 맞춤법도 그렇고 어떻게 쓸지를 몰라서 막막하고 어렵다 가르쳐준대로쓰면 된다고 한다 어렵다. 머리가 아플것이다.

물론 위의 문장은 엉망이다. 우선 띄어쓰기가 틀린 데가 많다. 또한 주술관계가 흐트러진 곳이 있어서 독해가 되지 않는다. 이런 글을 계속 쓴다면 문제가 될 수도 있다. 그러나 맞춤법을 완전히 아는 사람은 드물고, 맞춤법이 무서워서 글을 쓰지 못하는 것보다는 맞춤법 틀린 글이라도 써 놓은 사람이 낫다. 글은 완벽함을 지향하지만, 모든 글이 완벽하지도 않고, 완벽할 수도 없다. 위의 글은 문법에 맞지 않지만,

잘못 쓴 글보다 더 문제가 되는 것은
써보지 않은 글에 대해 걱정부터 하는 것이고,
글 더듬이가 되는 것이다.

그러나 글쓰기는 먼저 실천하고 나서, 문제점을 줄여가는 과정이다. 누구든지 일상적인 글쓰기를 하는 사람이 아니고는 글쓰기에 대한 자심감이 없다. 심지어 전문 작가나 시인의 경우에도 머리를 쥐어뜯어가며 글을 쓰고, 대개의 초안은 맞춤법에 맞지 않는 표현이나 비문이 있게 마련이다. 하물며 학창 시절에 몇 줄 써본 경험밖에 없으면서 갑자기 글을 잘 쓰기를 바란다면 허황된 꿈이라고 밖에는 할 말이 없다. 처음부터 완벽하게 글쓰기를 할 수 있는 사람은 없다. 더구나

시는 '시적 허용'의 문제나 '애매성'의 문제까지 있어서 더욱 어렵다. 그렇지만 기본적인 비유법을 동원해서 자기의 생각을 솔직하게 드러내는 글쓰기는 그것대로 이미 가치가 있다.

문학적으로 가장 심각한 문제가 있는 글은, 맞춤법에 맞지 않는 문장이 아니라,
빤한 생각을, 남들이 충분히 썼던 방식으로 찍어내는 글이다.

현장에서 글을 가르치는 수업을 하다보면, 말을 잘 하는 분들을 꽤 많이 만날 수 있다. 그분들이 하는 말을 가만히 들어보면, 비문이 거의 없다. 일상어이지만, 그 내용을 들여다보면, 비유 사용에 능하고, 여러 가지 문학적 표현 방법도 수준급이고, 상상력도 뛰어나고, 말의 앞뒤가 논리적이며, 아는 것도 많아서 누구든지 고개를 끄덕이게 만든다. 그런데 그런 분들에게 글을 써보라고 하면, 대부분 문장이 꼬인다.

왜 그럴까?

너무 잘 쓰려하기 때문이다.

시는 어떤 형식이나 기교보다 앞서 절실한 어떤 말이고, 정서 전달을 통해 감동을 주는 언어 예술이다. 그런데 먼저 맞춤법을 생각하다보면, 글을 쓰기가 어려워진다. 너무 말을 잘 하려고 하면 말문이 막히듯이 시 쓰기도 그렇다. 그러나 우리가 일상에서 말하는 것에는 큰 어려움이 없다. 평상시에 많은 말을 해보았기 때문이다. 글도 그렇고, 시도 그렇다. 자주 궁리하고 써 보면 익숙해진다. 그런데 처음부터 너무 잘 쓰려 하고, 문법을 통달하여 글쓰기를 하려 한다면, 글쓰기에 진척이 없다. 아이가 말을 배울 때처럼, 글을 배우는 사람도 자꾸 뱉어야 한다. 어떤 일이건 일을 하면서 일을 더 배울 수 있듯이 시도 마찬가지이다. 맞춤법에 얽매이고, 겁을 내면, 말더듬이가 말을 두려워하듯이, 글더듬이가 될 수밖에 없다.

문학은 지식이 아주 많은 사람들의 전유물이 아니다. 아무리 많이 배웠더라도 그것이 좋은 글쓰기로 바로 연결되지는 않는다.

시인을 꿈꾸었던 사람 중에서도 국어 점수가 낮은 경우는 많다. 시인이 될 생각을 오래 전부터 한 사람은 국어만은 100점을 맞았을 것 같지만, 그렇지 않다. 대부분 시인들은 시를 좋아했던 사람들이지, 국어와 맞춤법부터 좋아했던 사람들은 아니다. 대다수는 시를 먼저 쓴 뒤에 맞춤법을 익힌다. 그렇지만 100% 맞춤법에 맞는 글을 쓰는 시인은 드물다. 상당수가 맞춤법에는 자신이 없어한다. 그런데 이제 글을 막 시작하면서 맞춤법에 맞는지 안 맞는지부터 따지고 들면, 글이 콱 막혀 버린다. 우리가 말을 할 때, 문법에 맞는지 맞지 않는지 따지지 않듯 글쓰기를 할 때도 자신이 알고 있는 어법대로 최선을 다해서 쓰면 된다. 모르는 것을 부끄러워 할 필요가 없다. 왜 배우겠는가? 모르니까 배운다. 모르는 것은 모르는 대로 두고 아는 것만 쓰면 된다. 다행히 문학은 지식의 정도를 내세울 필요가 없다. 문학의 핵심은 '나는 이렇게 느꼈어'나 '나는 이렇게 생각 해'에 대한 것이다. 문학은 '나는 이만큼 알아'라고 자기 과시를 하는 장르가 아니다.

문학적으로는,
똑똑한 척한 글보다는
자기 내면을 투명하게 보여주는 글이 훨씬 낫다.

자기가 생각한 것, 자기가 느낀 것, 자기의 감정이나 정서를 어떻게 하면 잘 드러나게 할 수 있을까? 문학은 그것에 대해서 궁리하면 된다.

아는 것이 많지 않다고 글 쓰는 것을 미리 접을 필요가 없다. 아무리 저명한 작가도 모르는 것이 많다. 또한 그 누구도 이전에 몰랐던 것을 글 쓰는 순간에 갑자기 알아낼 수 없다.
맞춤법도 지식이다. 모르면 모르는 대로 쓰면 된다. 맞춤법 문제에 대한 고민은 이렇게 해결하면 된다. 맞춤법에 맞는 글부터 쓰려 할 것이 아니라, 일단 글을 써 두고, 맞춤법을 알아가는 것이 더 나은 방법이다. 다만 주술관계, 즉 주어와 서술어의 관계 정도는 명확히 알고 글을 시작하는 게 좋다. 주술관계만 알아도 기본은 된다.
한국어의 구조는 간단하다.

주어＋목적어(혹은 보어)＋서술어

기본적으로 위와 같은 구조로 되어 있다. 다만 주어와 목적어와 서술어 앞에 수식하는 내용이 첨가될 수 있다. 그러나 어떤 경우에도 기본에서 벗어나지는 않는다. 따라서 글을 읽을 때도 마찬가지이지만, 글을 쓸 때도 서술어가 무엇인지, 주어가 무엇인지, 목적어가 무엇인지를 순서대로 파악하면 된다. 또 서술어만으로 문장이 가능하므로 서술어만 있는 문장에서는 생략된 주어가 무엇인지, 생략된 목적어가 무엇이지를 유추해 보면 문장에 어긋남이 없어진다. 따라서 주어와 서술어 중심으로 글을 읽을 수 있다면, 글을 쓰는 데는 별 지장이 없다.

지금 당장 글쓰기를 시작하자.

"무엇을 쓸까?"라는 의문이 들었다면,
"무엇을 쓸까?"라고 먼저 쓰고 나서, 그 고민을 쓰자.

어떤 글쟁이도 처음부터 잘 쓴 사람은 없었으며, 완벽하게 맞춤법을 배우고 나서 글쓰기를 익힌 글쟁이도 없다.

먼저 쓰고 나서 고치자.
고칠 실력이 안 되면, 쓰기만 하자.

뛰어난 글쟁이는 쓰는 것을 두려워하지 않고, 글쓰기가 습관화 된 사람이다.
잘못 써둔 글은 고칠 수 있지만, 글로 옮겨지지 않는 어떤 내용도 고칠 수 없다. 고칠 수 없다는 것은 발전이 없다는 말과 같다.

다시 말해서 지금 당장 글쓰기를 실천한다면 희망이 있지만, 쓰지 않는 글은 어떤 가능성도 없다. 절망할 수 있다면 꿈이 있는 것이지만, 절망하는 게 무서워 피한다면, 영원히 기회가 오지 않는다.

제한하는 모든 것을 버리고,
'이래야 한다'는 원칙을 버리고,
도덕도 버리고,
법도 버린 자리에 자기를 놓아 보라.
욕망도 풀어 놓고,
맞춤법도 버리고,
입장도 버리고,
거기 그 자리에서,
지금 바로 생각나는 것을 써 보는 것.
그게 시의 출발이다.

사랑에 대한 모든 이론을 공부한 후 사랑을 하지 않듯이,
사랑을 시작하고, 사랑한 후에 사랑에 대해 더 많이 배우듯, 시 쓰기도 이와 같다.